KB077121

생활 속의

천체관측

이상현

저자가 촬영한 천체사진

丹星 李相賢
2022.12.24

오리온 대성운(M42)

촬영일자 : 2022년 12월 24일

망원경 : Pentax100EDUF + 70mm내접육각(D=63.7mm, FL=400mm)

카메라 : ASI533MC-Pro

필터 : 광해방지필터(L-Pro)

노출 : 300sec × 22개, Gain100

촬영장소 : 울산광역시 두동면

丹星 李相賢
2022.07.01

부자은하(M51)

촬영일자 : 2022년 7월 1일

망원경 : edgeHD 9.25 (D=235mm, FL=2350mm)

카메라 : ASI533MC-Pro

필터 : 사용안함

노출 : 600sec × 11개, Gain100

촬영장소 : 보현산천문대 앞마당

丹星 李相賢
2022.06.30

아령성운(M27)

촬영일자 : 2022년 6월 30일

망원경 : edgeHD 9.25 (D=235mm, FL=2350mm)

카메라 : ASI533MC-Pro

필터 : 이중투과 성운필터(L-enhance)

노출 : 300sec × 5개, Gain100

촬영장소 : 울산전파천문대 앞마당

丹星 李相賢
2022.11.16

나선성운(NGC 7293)

촬영일자 : 2022년 11월 16일

망원경 : edgeHD 9.25 + hyperstar (D=235mm, FL=525mm)

카메라 : ASI533MC-Pro

필터 : 이중투과 성운필터(L-enhance)

노출 : 300sec × 21개, Gain100

촬영장소 : 울산광역시 두동면

말머리 성운(IC434)

촬영일자 : 2022년 12월 25일

망원경 : Pentax100EDUF + 70mm내접육각(D=63.7mm, FL=400mm)

카메라 : ASI533MC-Pro

필터 : 광해방지필터(L-Pro)

노출 : 300sec × 45개, Gain100

촬영장소 : 울산광역시 두동면

페르세우스 이중성단(NGC 869 (우), NGC 884 (좌))

촬영일자 : 2022년 12월 25일

망원경 : Pentax100EDUF + 70mm내접육각(D=63.7mm, FL=400mm)

카메라 : ASI533MC-Pro

필터 : 광해방지필터(L-Pro)

노출 : 300sec × 31개, Gain100

촬영장소 : 울산광역시 두동면

크리스마스 트리성단(NGC 2264)

촬영일자 : 2022년 12월 25일

망원경 : Pentax100EDUF + 70mm내접육각(D=63.7mm, FL=400mm)

카메라 : ASI533MC-Pro

필터 : 광해방지필터(L-Pro)

노출 : 300sec × 2개 + 600sec × 17개, Gain100

촬영장소 : 울산광역시 두동면

장미성운(NGC 2244)

촬영일자 : 2023년 1월 25일

망원경 : edgeHD 9.25 + hyperstar (D=235mm, FL=525mm)

카메라 : ASI533MC-Pro

필터 : 광해방지필터(L-Pro)

노출 : 300sec × 26개, Gain100

촬영장소 : 울산광역시 두동면

丹星 李相賢
2023.12.25

북아메리카 성운(NGC 7000)

촬영일자 : 2023년 12월 25일

망원경 : RedCat51 (D=51mm, FL=250mm)

카메라 : ASI533MC-Pro

필터 : 이중투과 성운필터(L-enhance)

노출 : 300sec × 24개, Gain100

촬영장소 : 울산광역시 두동면

안드로메다 은하(M31)

촬영일자 : 2023년 12월 17일

망원경 : RedCat51 (D=51mm, FL=250mm)

카메라 : ASI533MC-Pro

필터 : 광해방지필터(L-Pro)

노출 : 300sec × 10개, Gain100

촬영장소 : 울산광역시 두동면

머 리 말

2018년에 울산대학교에서 천문학 학부교양과목 강의를 시작하였다. 당시 과목을 개설해 주신 물리학과 교수님으로부터 매우 쉽게 강의해 달라는 요청을 받았다. 울산대 강의 이전에 부경대, 부산대, 인제대, 부산교대, 교원대 등 많은 학교에서 교양천문학을 가르친 경험이 있었다. 이전에는 이 과목을 천문학자들이 이해하고 있는 물리학과 수학을 기초로 하는 첨단과학으로 가르쳤기 때문에 학생들에게는 어렵게 느껴질 수 있었을 것이다. 천문학이라고 하면 낭만적인 별자리이야기 정도로 생각하고 수강신청을 한 학생들 중 다수는 수강을 포기했을 것이다.

'쉬운 강의'라는 화두를 들고 많은 고민을 하다가 천문학자들에게 필요한 천문학이 아니라, 일반 교양인들에게 필요한 천문학이 무엇일까를 고민하였다. 당시 저자는 한국아마추어천문학회 경남지부에서 일반인들이 공부하던 천문지도사 3급 과정에 필요한 내용을 많이 강의하고 있었다. 이곳에는 우리사회의 다양한 자리에서 일하면서 여가시간에 별을 보러 다니는 사람들이 많았다. 이들 중에는 맨눈으로 별자리를 관측하는 사람부터, 망원경을 가지고 천체사진을 촬영하는 사람까지 있었다. 현실적으로 이 사람들에게 가장 필요한 천문지식은 별자리, 망원경, 천체사진이다. 그래서 그 강의의 방향을 별을 좋아하는 다양한 사람들에게 맞췄다.

강의의 초점을 이렇게 맞추고 적당한 교재를 찾아봤지만, 시중에 적당한 내용을 담고 있는 교재가 없어서 직접 교재를 써야겠다는 생각을 했다. 여러 가지 사정으로 인해 이 생각을 시작한 지 5년이 넘어서야 책을 내게 되었다. 이 책에는 저자의 관측경험을 바탕으로 최근에 발전된 관측기술을 아는 만큼 담았다. 아쉽게도 천구좌표, 망원경과 천체사진 내용이 광학이나 디지털과 같은 어려운 이공계 분야의 지식이라, 처음 의도한 것만큼 모두에게 쉽지 않을 수도 있다. 그러나 천체관측을 본격적으로 시작하려는 사람들에게 도움이 되었으면 좋겠다. 끝으로 이 책의 내용을 꼼꼼하게 감수해 주신 강용우 박사님, 오타를 찾고 의견을 준 아내 그리고 표지디자인을 해 준 아들에게 감사드린다.

2024년 3월

이 상 현

제1장 천구

우리 조상들을 비롯한 옛날 동아시아인들은 우주를 표현하기로 천원지방(天圓地方)이라고 하였다. 이는 하늘은 둥글고 땅은 네모나다는 말이다. 지구가 둥글다는 것이 밝혀진 오늘날 지식인들 중에 이렇게 믿는 사람은 거의 없다. 그러나 밤하늘을 보면 별들은 마치 둥근 하늘에 붙어있는 반짝이는 점으로 보인다. 우리가 보고 있는 밤하늘의 별들은 관측자를 중심으로 우주 공간에 흩어진 별들이 무한히 먼 가상의 구면에 투영되어 보이는 것으로 이해할 수 있다. 천문학에서는 이 가상의 구를 천구(天球 /Celestial sphere)라고 부른다. 천구는 천체의 위치를 표시할 때 유용하게 사용되고 있다. 이 장에서는 천구에 대해 다루어 보려고 한다.

(1) 천구의 위치를 정하는 점과 대원

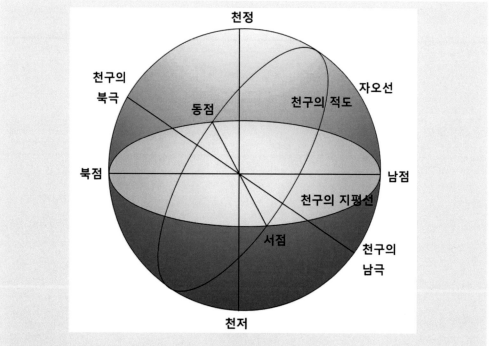

그림 1.1 천구의 지평선을 기준으로 한 천구상의 중요 점들과 대원들. 관측자는 구의 중심에 위치한다.

평면에서 위치를 정의할 때 가로축, 세로축이 필요한 것처럼, 천구에서도 천체의 위치를 표시하기 위해서는 기준이 되는 점과 좌표축이 필요하다. 천구는 구면이기 때문에 구의 중심을 지나는 평면과 만나는 원이 평면에서 가로축, 세로축과 유사한 역할을 한다. 이 원을 대원(大圓/Great circle)이라고 부른다. 천구에서 자주 언급되는 중요한 대원으로는 천구의 지평선, 수직권, 천구의 적도, 시간권, 황도, 백도, 자오선 등이 있다. 표 1.1에서 천구 상에 여러 가지 중요한 기준점들과 대원들을 설명하였고, 그림 1.1과 그림 1.2에 표시하였다.

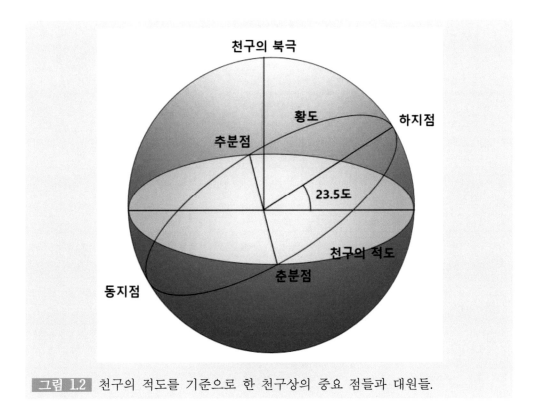

그림 1.2 천구의 적도를 기준으로 한 천구상의 중요 점들과 대원들.

기준점과 대원	설 명
천구의 북(남)극	지구자전축을 연장하여 북(남)극과 천구가 만나는 점
천구의 적도	지구의 적도를 연장한 평면과 천구가 만나는 대원
천구의 지평선	관측자의 지평선을 연장한 평면이 천구와 만나는 대원
천정/천저	관측자를 기준으로 지면에 대해 수직으로 (위/아래)에서 천구와 만나는 점
(동/서/남/북)점	관측자를 기준으로 지면을 따라 (동/서/남/북)쪽으로 천구와 만나는 점
황도	천구에서 태양이 지나가는 대원
(춘분/하지/추분/동지)점	(춘분/하지/추분/동지)날 태양이 통과하는 점
수직권	천정과 천저를 지나는 대원
시간권	천구의 북극과 천구의 남극을 지나는 대원
자오선	천정과 천저, 천구의 남극과 북극을 잇는 대원

표 1.1 천구 상에 여러 가지 중요한 기준점들과 대원

(2) 지평좌표계

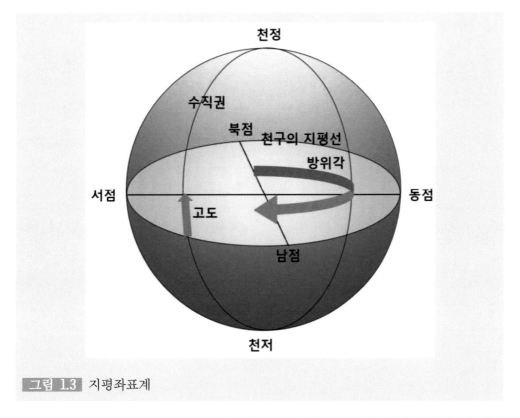

그림 1.3 지평좌표계

사람은 지면에 서서 세상을 보기 때문에 하늘에 있는 물체의 위치를 정할 때 상하좌우의 방향개념으로 생각하면 직관적으로 쉽게 이해할 수 있다. 천체의 위치를 나타낼 때 이런 방식으로 나타내면 간단하게 정할 수 있다. 이렇게 천체의 위치를 표현하는 좌표계를 지평좌표계라고 부른다. 지평좌표계에서 천체의 위치는 고도와 방위각으로 표시한다. 고도는 관측자가 천구의 지평선에서 수직으로 잰 각으로 지평선에서 0°, 천정에서 90°가 되며, 지평선 아래는 음의 값으로 정의한다. 방위각은 기준점을 북점으로 하고 동쪽으로 잰 각이다. 그래서 북점, 동점, 남점, 서점은 각각 방위각이 0°, 90°, 180°, 270°에 해당한다. 지평좌표계는 특정 관측 장소에서 관측자가 별의 위치를 확인하기 매우 유용하다. 그러나 지평좌표계는 관측자의 위치, 날짜, 시각에 따라 다르기 때문에 특정 천체의 위치를 하나의 좌표로 표현하기는 어렵다.

(3) 적도좌표계

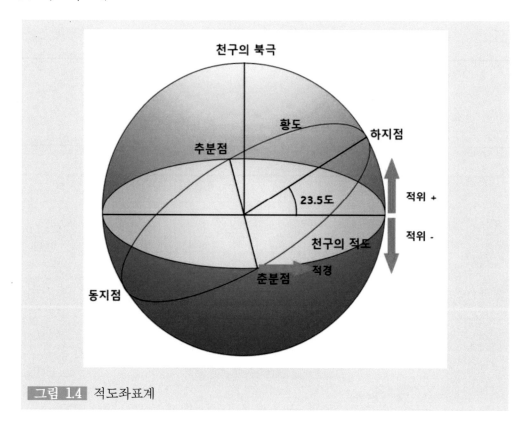

그림 1.4 적도좌표계

천구 상에서 천체의 위치를 나타내는 방법 중에 가장 흔히 사용되는 좌표계가 적도좌표계이다. 적도좌표계는 적경(α)과 적위(δ) 두 값으로 별의 위치를 정한다. 이 중 적위는 천구의 적도를 기준으로 천구의 북극과 남극 방향으로 잰 각도이다. 천구의 적도, 북극, 남극의 적위는 각각 0°, +90°, -90°가 된다. 그리고 적경은 춘분점을 기준으로 서에서 동으로 잰 시간각이다. 여기서 시간각이란 일주운동으로 천구가 회전하는 각을 시간으로 나타낸 것을 말한다. 지구 자전에 의해 천구는 천구의 북극과 남극을 축으로 24시간 동안 360°를 돌기 때문에 1시간 동안 15°를 회전하게 된다. 이 각도는 자전축 기준이기 때문에 천구의 중심에 위치한 관측자 기준으로는 달라질 수 있다. 적위가 높아지면 관측자 기준의 각으로 시간각 1시간에 대응하는 천구상의 각 거리는 더 작아진다.

적도좌표계에서는 적경을 시간각으로 사용하기 때문에 각도에 적응된 사람들에게는 생소한 단위일 수 있다. 그러나 지구 자전에 의해 일주운동을 하는 천체를 관측하는 입장에서는 편리한 단위이다. 예를 들면, 어떤 천체를 관측할 때 자오선에 대한 시간각의 차이를 알면, 그 천체가 언제 남중하는지 계산하기 쉽다.

(4) 황도좌표계

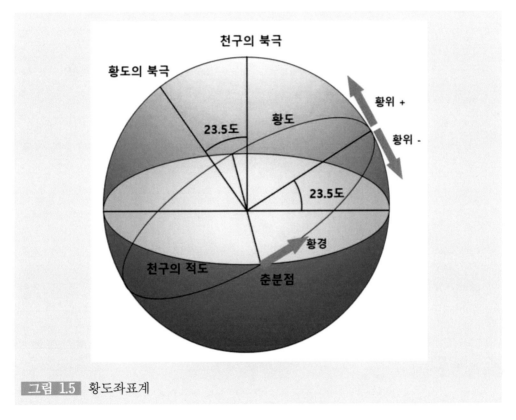

그림 1.5 황도좌표계

황도는 천구 상에서 태양이 지나가는 길을 말한다. 지구는 태양 주변을 공전하고 있다. 지구에 있는 관측자가 보는 태양은 1년을 주기로 그 위치가 달라진다. 그래서 황도는 지구가 태양을 공전하는 공전면과 같다. 황도좌표계는 이 황도를 기준으로 측정한 좌표계이다. 황도좌표계에서 천체의 위치는 황경(λ)과 황위(β)로 표시한다. 황경은 춘분점에서 황도를 따라 서에서 동으로 잰 각이며, 황위는 황도에서 남북으로 잰 각으로 북쪽은 +, 남쪽은 -값을 갖는다.

(5) 은하좌표계

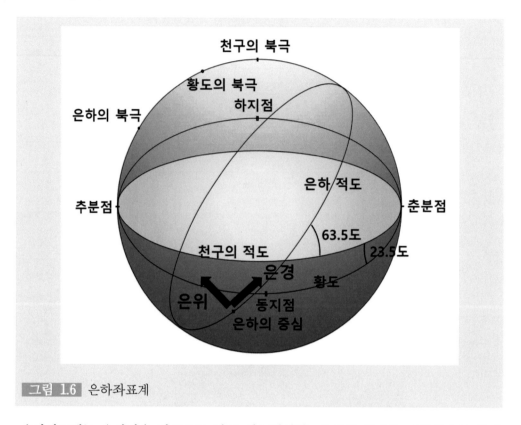

천구의 북극

황도의 북극
하지점

은하의 북극

은하 적도

추분점

춘분점

천구의 적도

63.5도

23.5도

은경

황도

은위

동지점

은하의 중심

그림 1.6 은하좌표계

은하좌표계는 은하면을 기준으로 만든 좌표계이다. 은하의 중심을 기준점으로 하여 은하면을 따라 서쪽에서 동쪽으로 잰 각을 은경(l), 은하면에서 남북으로 잰 각을 은위(b)로 북쪽은 +, 남쪽은 -로 한다. 은하좌표계는 관측자가 관측을 할 때는 보다 우리은하나 은하계 내의 천체들 그리고 외부은하를 연구할 때 더 많이 사용한다.

(6) 지구의 자전과 별의 일주운동

그림 1.7 KVN울산전파천문대 서쪽으로 넘어가는 별들의 일주운동

  북반구에서 북극 방향을 보면 별들은 반시계 방향으로 매일 1바퀴씩 돈다. 별들과 태양을 비롯한 모든 천체는 동쪽에서 떠서 서쪽으로 진다. 이렇게 매일 움직이는 천체의 운동을 일주운동이라고 한다. 북반구에서는 천구의 북극을 중심으로 반시계 방향, 남반구에서는 천구의 남극을 중심으로 시계방향으로 일주운동을 하게 된다. 밤새 천체를 관측하면 별자리가 움직이는 것을 쉽게 알 수 있다. 우리나라와 같은 북반구 중위도 지방에서 관측자가 동쪽하늘을 바라보면 별은 오른쪽 상단으로 비스듬하게 떠오르고, 서쪽하늘을 바라보면 별은 오른쪽 하단으로 비스듬하게 내려간다. 그림 1.7은 서쪽으로 넘어가는 별의 일주운동 사진이고, 그림 1.8은 북쪽하늘의 일주운동 사진이다.

그림 1.8 김해천문대를 배경으로 한 북쪽하늘의 별들의 일주운동

(7) 천구를 재현하는 소프트웨어의 활용

관측자가 천체 관측을 계획할 때 관측 예정일에 어떤 천체를 관측할 수 있는지 미리 알고 준비하면 더 좋은 관측을 할 수 있다. 그리고 밝은 달과 같이 관측에 방해가 되는 요소들도 피할 수 있다. 사전에 이런 준비를 위해 컴퓨터나 모바일에서 사용할 수 있는 천구를 재현하는 소프트웨어를 활용할 수가 있는데, 그 대표적인 소프트웨어가 2001년에 출시된 스텔라리움[1]이다.

컴퓨터에서 사용할 수 있는 스텔라리움은 무료 소프트웨어이며, 모바일용은 유료로 제공된다. 스텔라리움 개발자의 메인 홈페이지에 가면 인스톨 프로그램 외에도 자세한 설명이 있는 사용자 설명서를 다운 받을 수 있다. 프로그램을 실행하면 사용자가 원하는 장소, 시간에 천체의 위치와 밝기를 그래픽으로 제공해 준다. 사용자가 자신의 위치를 지구상의 특정 지점으로 지정하고, 시간을 변화시키면 천체의 일주운동, 연주운동, 세차운동 등 다양한 천체 운동을 시뮬레이션 할 수 있다. 사용메뉴가 직관적으로 쉽게 표현되어 있어서 사용법이 매우 쉬우니 사용해 보기 바란다.

---

1) Stellarium (https://stellarium.org/ko/)

제2장 별자리와 밤하늘

별자리는 천구 상에 보이는 여러 개의 별들을 선이나 그림으로 연관 지어서 부르는 이름이다. 이들 별자리는 문화권마다 다양한 풍습이나 신앙을 기반으로 만들어졌다. 동양에서는 상상 속 천상의 세계를 기반으로 별자리를 만들었다. 서양에서는 그리스 로마 신화를 기반으로 만들어진 것이 많으며, 남반구는 대항해시대에 탐험가들이 만들었다. 이렇게 다양한 별자리들을 1930년 국제천문연맹에서 정리하여 88개의 별자리로 통일하였다. 이 별자리들은 주로 서양별자리를 기반으로 하는데, 오늘날 국제 표준으로 사용하고 있다. 이 단원에서는 우리나라에서 볼 수 있는 별자리를 알아보고, 별자리들 사이에서 찾아볼 수 있는 흥미로운 천체들을 소개한다.

(1) 북극성과 북쪽하늘의 별자리

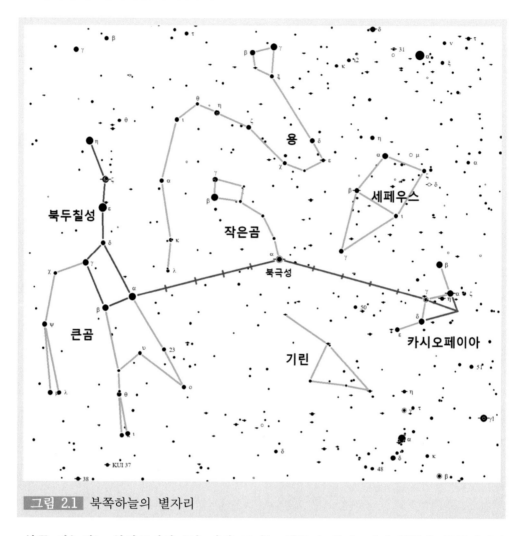

그림 2.1 북쪽하늘의 별자리

북쪽 하늘에는 북반구에서 1년 내내 보이는 별들이 있다. 이런 별들을 주극성이라고 부른다. 북쪽하늘에는 일주운동의 축이 되는 천구의 북극이 있고, 천구의 북극에서 약 1°정도 떨어진 곳에 북극성이라고 불리는 밝은 별이 있다. 북극성은 북반구에서 여행자에게 방향을 알려주는 중요한 별이다.

북극성을 찾으려면 북두칠성이나 카시오페이아 중 1개만 알면 찾을 수 있다. 두 별자리는 북극성을 중심으로 서로 반대방향에 있기 때문에 북반구에서는 계절이나 시간에 상관없이 두 별자리 중 하나는 잘 보인다. 북두칠성을 이용해서 북극성을 찾으려면 국자모양의 끝에 있는 두 개의 별 사이에 선을 긋고 국자의 입이 벌린 방향으로 이 두 별 사이의 거리의 5배를 연장하면 북극성과 만나게 된다. 카시오페이아자리는 동쪽 두 개의 별을 이은 선과 서쪽 두개의 별을 이은 선이 만나는 점에서 별자리의 가운데 있는 별까지의 거리를 5배 연장하면 북극성과 만나게 된다(그림2.1). 북쪽하늘에는 이 외에도 용자리, 기린자리, 세페우스자리, 작은곰자리 등이 있다. 그러나대부분 어둡고 희미한 별들로 구성되어 있어서 대도시에서 찾기는 무척 어렵다.

丹星 李相賢
2023.12.17

그림 2.2 사진으로 보는 카시오페이아자리

(2) 봄철 별자리

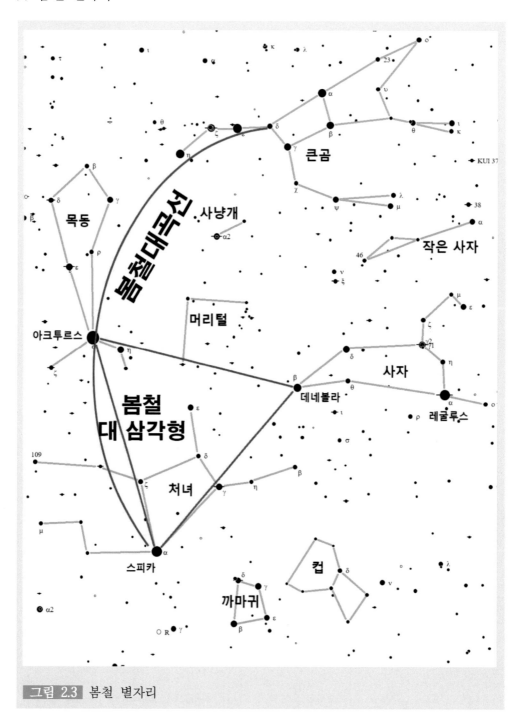

그림 2.3 봄철 별자리

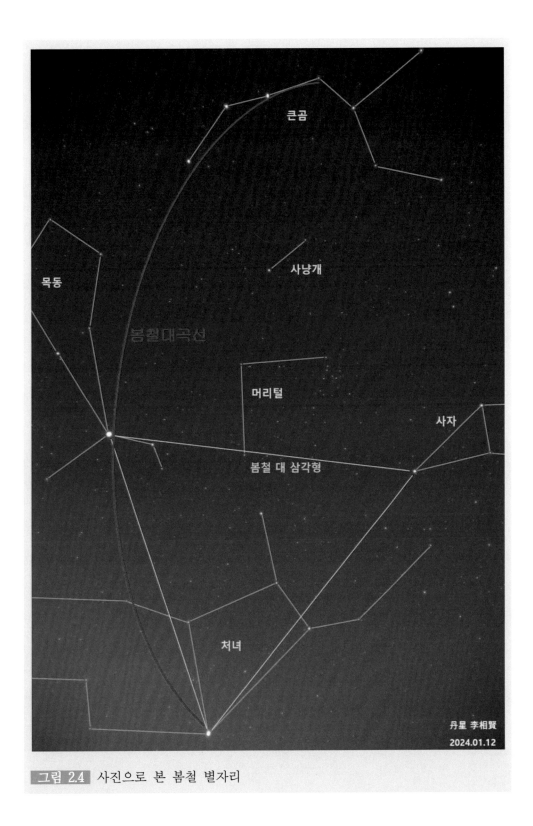

그림 2.4 사진으로 본 봄철 별자리

계절별 별자리는 찾기 쉬운 별자리에서 출발하여 하나씩 더 익혀 나가는 것이 좋다. 봄철 별자리 중에는 북두칠성을 찾기가 가장 쉽다. 북두칠성은 동양의 별자리 이름인데, 국제 공인 별자리로는 큰곰자리의 엉덩이와 꼬리 부분에 해당한다. 북두칠성의 일곱 개의 별은 국자모양을 닮았기 때문에 서양에서도 큰 국자(Big Dipper)라고 부른다.

이렇게 큰곰자리를 찾은 뒤, 국자모양의 손잡이를 따라 호를 그리며 남쪽으로 내려가면 비슷한 간격으로 2개의 밝은 별을 찾을 수 있다. 그 중에 첫 번째 나타나는 별은 목동자리에서 가장 밝은 별인 아크투르스이며, 두 번째 별이 처녀자리의 스피카이다. 아크투르스는 봄철 밤하늘에서 가장 밝은 별인데, 다른 별들에 비해 매우 밝기 때문에 도심에서 별이 하나만 보인다면 이 별일 가능성이 높다. 물론 남쪽 밤하늘에 금성, 목성이나 화성이 지나간다면 더 밝을 수 있지만, 행성을 제외한다면 이보다 밝은 별은 없다. 반면에 스피카는 매우 밝은 별에 속하지만 빛 공해가 심한 우리나라에서는 남쪽 밤하늘을 자세히 보면 밝은 광해 속에서 유일하게 살짝 보이는 별에 해당한다. 아크투르스와 스피카를 찾은 뒤에 성도와 밤하늘을 비교해 가면 목동자리와 처녀자리를 찾을 수 있다. 이 두 별자리 중 우리나라처럼 밤하늘이 밝은 곳에서는 목동자리가 조금 더 잘 보인다. 이렇게 북두칠성과 아크투르스, 스피카를 잇는 곡선을 봄철대곡선이라고 부르며 봄철 별자리를 찾는데 매우 유용하다.

그림 2.3에서 보인 것처럼 봄철대곡선을 잇는 아크투르스, 스피카와 사자자리 데네볼라를 잇는 큰 삼각형을 그릴 수 있는데, 이것이 봄철의 대 삼각형이다. 그런데 우리나라 도심의 밤하늘에서는 데네볼라가 잘 보이지 않을 수 있다. 아크투르스와 스피카를 먼저 찾은 뒤에 성도와 비교하면 데네볼라를 찾을 수 있다. 데네볼라 역시 빛 공해가 없는 밤하늘에서는 꽤나 밝은 별에 속한다. 데네볼라를 찾으면 이 별을 이용하여 사자자리를 찾을 수 있다. 사자자리는 2010년 이전까지만 해도 대도시에서도 사자의 모양을 그릴 수 있을 정도로 밝고 아름다운 별자리였다. 그러나 지금은 도심의 불빛으로 인해 하늘이 밝아져서 도심에서는 잘 안보이고, 시골에서 가로등을 피한 장소에 가면 겨우 확인할 수 있다.

봄철 밤하늘에는 북두칠성, 봄철대곡선, 봄철 대 삼각형, 사자자리 외에도 까마귀자리, 컵자리, 머리털자리 등 어두운 별자리들이 있다. 이 별자리들은 어두운 별들로 구성되어 있어서 도시의 불빛이 보이지 않는 캄캄한 곳이 아니면 확인하기 어렵다.

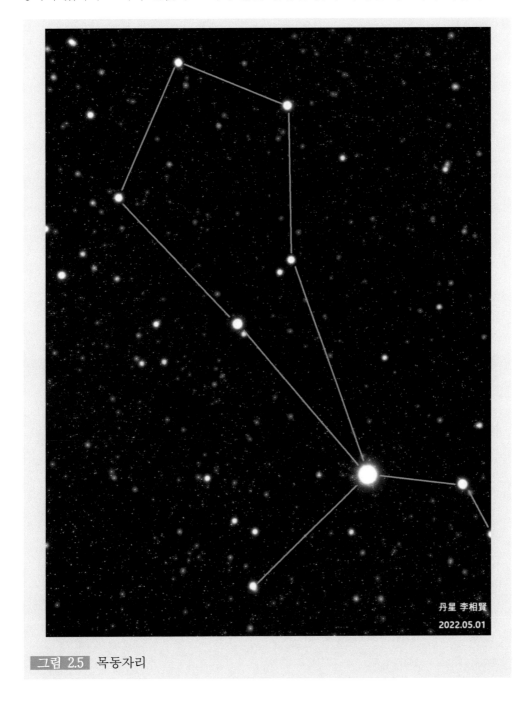

그림 2.5 목동자리

(3) 여름철 별자리

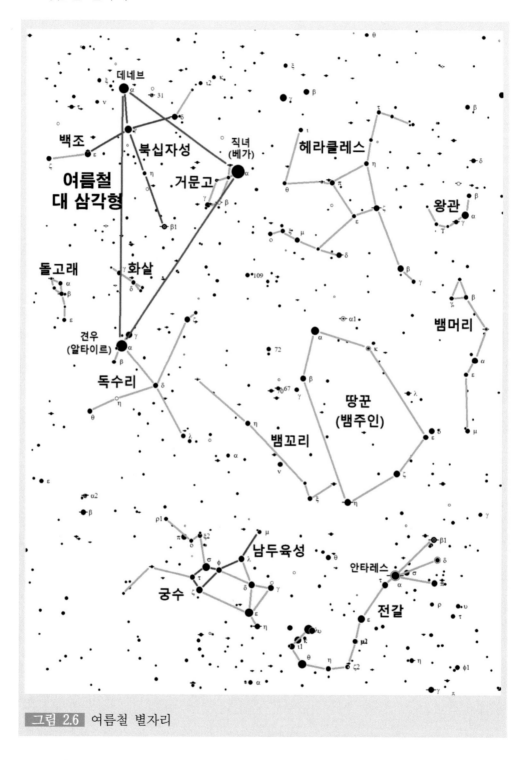

그림 2.6 여름철 별자리

데네브

백조

베가(직녀)

거문고

여름철 대 삼각형

알타이르(견우)

독수리

丹星 李相賢
2023.09.08

그림 2.7 사진으로 본 여름철 대 삼각형을 이루는 별자리

여름철 별자리를 찾으려면 음력 7월 7일에 만난다는 전설로 유명한 견우성과 직녀성을 찾는 것으로 시작하면 된다. 이 두 별은 은하수를 사이에 두고 가장 밝게 빛나는 별이기 때문에 찾기가 쉽다. 이보다 조금 북쪽에 데네브라는 백조자리에서 가장 밝은 별을 찾을 수 있다. 이 세 별을 이으면 여름철 대 삼각형이라고 불리는 여름철 별자리의 길잡이별이 된다. 견우성과 직녀성은 동양별자리 이름으로 서양별자리에서는 각각 알타이르, 베가라고 부른다. 데네브가 있는 백조자리의 중심 부분을 이으면 마치 십자가처럼 보이기 때문에 서양에서는 이 별들을 십자성이라고도 불렀다. 이후 남반구에서 남십자성으로 불리는 별자리가 알려지면서 백조자리의 가운데 십자가 모양의 별들을 북십자성이라고 부르게 되었다.

동양의 전설에 의하면 견우과 직녀는 은하수를 사이에 두고 떨어져 있다고 한다. 이 전설을 생각하고 견우성와 직녀성을 보면 은하수가 보이지 않는 곳에서도 이 두 별 사이에 은하수가 있다는 것을 쉽게 유추할 수 있다. 빛 공해가 심한 우리나라에서는 시골에서도 은하수를 보기 어렵다. 그러나 여름철에 도심보다 어두운 시골에서 견우성과 직녀성을 찾은 뒤 그 사이에 은하수가 있다는 것을 생각하면서 자세히 보면 살짝 느껴질 수 있다. 그 뒤 백조자리의 백조가 남쪽을 향해 은하수 위를 나는 모습을 상상하면 조금 더 잘 보인다. 그림 2.7의 사진에서 은하수가 나온 것을 볼 수 있다. 이렇게 찾은 은하수를 따라 남쪽으로 내려가면 우리 은하의 중심인 궁수자리가 나타난다. 우리 은하 중심방향은 은하수가 가장 밝은 곳이기 때문에 은하수를 좀 더 잘 확인할 수 있다.

은하 중심에 있는 궁수자리는 그리스신화에서 상반신은 인간이고 하반신은 말의 형상을 하고 있는 활을 쏘는 전설의 동물 켄타우르스로 알려져 있다. 궁수자리의 밝은 별들을 이으면 주전자 같은 모양을 하고 있다. 은하 중심부의 은하수가 마치 주전자의 꼭지에서 수증기가 나오는 것을 연상시킨다. 그리고 궁수자리 주전자 손잡이에 해당하는 여섯 개의 별은 북두칠성처럼 국자모양을 형성하고 있는데, 이 여섯 개의 별을 남두육성이라고 한다. 이를 동양별자리에서 북두칠성에 대응하여 인간의 삶을 관장하는 별자리라는 전설이 있다. 이 외에도 궁수자리의 서쪽으로 안타레스라는 매우 밝고 붉은 별이 있다. 이 별은 전갈자리에서 전갈의 심장에 해당하는 위치에 있다.

  여름철 별자리들 중에 헤라클레스자리, 왕관자리, 땅군자리, 뱀머리자리, 뱀꼬리자리 등은 도심에서는 찾기 어렵고, 밤하늘이 어두운 시골에서 찾을 수 있는 별자리이다. 그러나 아주 어두운 곳이 아니면 맨눈으로 확인하기 어렵다. 이 외에도 은하수 근처에 있는 화살자리, 돌고래자리는 7배 정도의 쌍안경이나 파인더 망원경 시야에 들어오는 크기이기 때문에, 이런 망원경을 이용하면 아주 어두운 곳이 아닌 도시 외곽 지역에서도 확인할 수 있다.

그림 2.8 사진으로 본 여름철 대 삼각형을 이루는 별자리

(4) 가을철 별자리

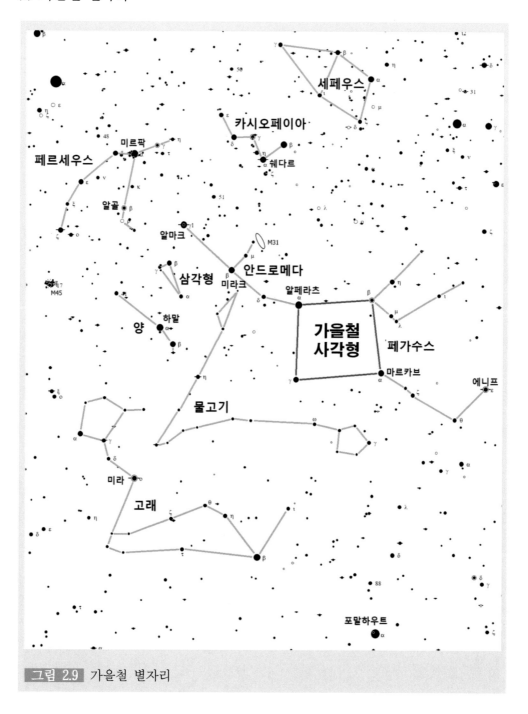

그림 2.9 가을철 별자리

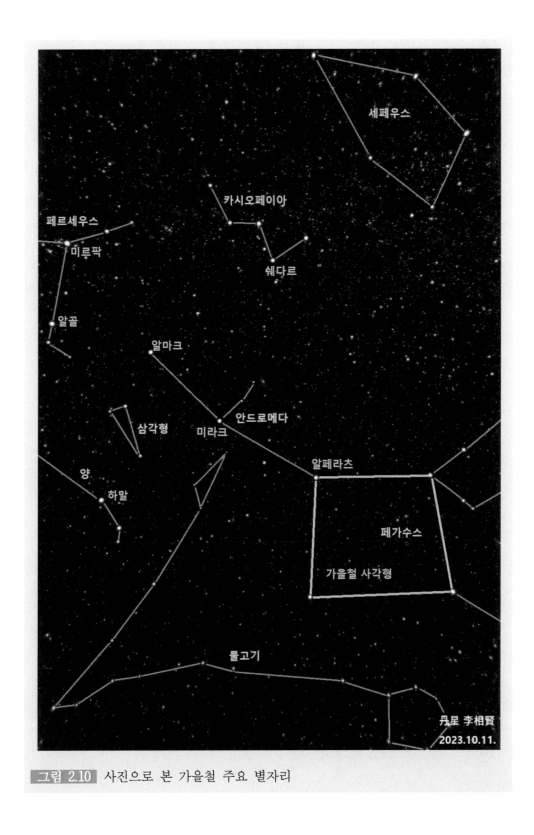

그림 2.10 사진으로 본 가을철 주요 별자리

가을철 별자리는 페르세우스 전설에 나오는 인물들이 많다. 제우스의 아들인 페르세우스가 메듀사의 머리를 잘라서 돌아오던 중에 바다괴물의 제물로 바쳐진 안드로메다 공주를 메듀사의 머리를 이용해 물리치고 공주와 결혼하게 된다. 안드로메다 공주의 어머니가 이디오피아의 카시오페이아 왕비이고, 아버지가 세페우스 왕이다. 그림 2.9에 보면 카시오페이아자리 서북쪽에 세페우스자리, 남쪽에 안드로메다자리가 있고, 동쪽에 페르세우스자리가 있다. 페르세우스자리에는 알골이라는 식변광성이 있는데, 이 별이 페르세우스가 가지고 있던 메듀사의 머리에 해당하는 위치이다. 안드로메다자리에는 유명한 안드로메다은하가 있다. 이 은하는 우리 태양계에서 약 250만 광년 떨어져 있고 지름이 12만 광년 정도 된다고 알려져 있다. 어두운 곳에서는 맨눈으로도 볼 수 있는 은하이지만, 도심에서는 망원경으로 은하의 중심부가 약간 뿌옇게 보이는 것을 겨우 확인할 수 있다.

안드로메다자리의 서남쪽에는 가을철 사각형으로 불리는 네 개의 밝은 별이 있다. 이 별 중 동북쪽의 밝은 별 알페라츠는 안드로메다자리에서 가장 밝은 별이고 나머지는 페가수스자리에 속하는 별이다. 가을철 사각형에서 남쪽으로 한참 내려가면 포말하우트라는 밝은 별이 있다. 이 별은 남반구의 별이지만 주변의 다른 별에 비해 매우 밝아서 도심에서도 남쪽하늘에 혼자 빛나는 별이다.

양자리, 고래자리, 물고기자리는 황도12궁이라고 불리는 탄생별자리로 유명한데, 밝은 별이 많지 않아서 어두운 장소가 아니면 육안으로 확인하기 어렵다. 도시의 외곽이나 도심의 불이 꺼진 새벽 시간에는 배율이 낮고 시야가 넓은 쌍안경이 있다면 삼각형자리나 양자리는 확인할 수 있다.

(5) 겨울철 별자리

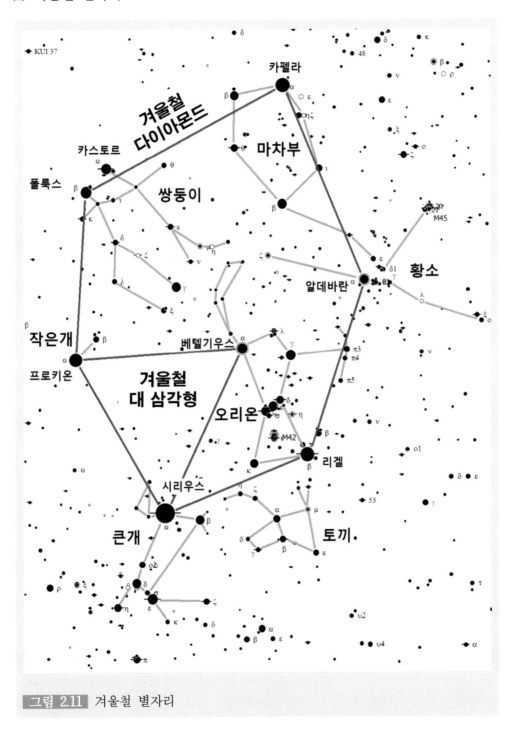

그림 2.11 겨울철 별자리

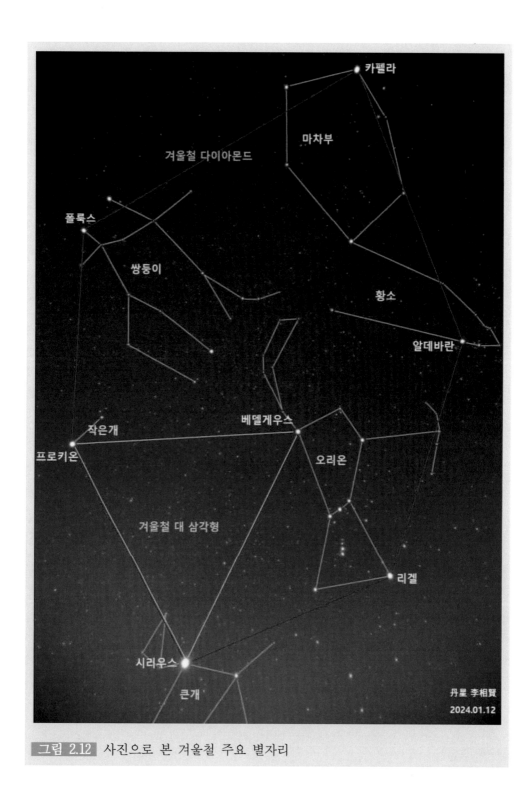

그림 2.12 사진으로 본 겨울철 주요 별자리

　겨울철 밤하늘에는 밝은 별이 많고, 밝은 성운, 성단이 많다. 그 이유는 겨울철 별자리 방향으로 태양에서 가장 가까운 우리은하의 나선팔인 오리온 나선팔이 있기 때문이다. 원반 모양으로 하고 있는 우리은하계는 은하면에 소용돌이 모습의 나선팔이 있다. 나선팔에는 성간물질이나 별이 많고, 별 탄생이 활발히 일어난다. 우리 태양계는 나선팔들 중에서 겨울철 별자리인 오리온자리 방향에 있는 오리온 나선팔에서 은하 중심에 약간 가까운 쪽에 치우쳐 놓여있다. 그래서 겨울철 밤하늘에는 유독 밝은 별이 많은 것이다.

　밝은 별들로 구성된 대표적인 별자리가 오리온자리이다. 우리나라에서 볼 때 오리온자리는 천구의 적도 방향에 있기 때문에 남중하는 시간에 남쪽방향으로 고개를 약간만 들면 쉽게 찾을 수 있다. 4개의 밝은 별이 사각형 형태를 하고 있고 가운데에는 밝은 3개의 별이 가지런히 놓여있다. 이 3개의 별을 삼태성(三太星)이라고 부른다. 동양별자리에도 북두칠성 남쪽에 삼태성(三台星)이 있는데 이 별들과 다르다. 이 오리온자리의 삼태성은 신화에 등장하는 사냥꾼 오리온의 허리띠 부분에 해당하며 오리온 벨트라고 부른다. 오리온자리의 삼태성에서 남쪽으로 조금 내려가면 오리온 대성운이라고 알려진 뿌옇게 보이는 천체가 있다.

　겨울철 밤하늘에는 여러 별자리의 밝은 별들을 이어서 삼각형, 육각형을 만들어 별자리를 찾는 길잡이 별로 사용할 수 있다. 삼각형은 하늘에서 가장 밝은 별인 큰개자리의 시리우스, 작은개자리의 프로키온 그리고 오리온자리의 베텔기우스이다. 그리고 육각형은 삼각형을 구성한 시리우스, 프로키온 외에 쌍둥이자리 폴룩스, 마차부자리 카펠라, 황소자리 알데바란, 오리온자리 리겔이다. 이 별들로 구성된 육각형은 다이아몬드처럼 아름답다고 하여서 겨울철 밤하늘의 다이아몬드라고 부른다.

(6) 우리나라의 별자리

우리나라를 비롯한 동양에서는 별자리를 상상 속 천상의 세계를 기반으로 한다. 하늘의 신선이나 전설의 동물이나 사물들로 별자리가 이루어져 있다. 대표적인 동양 별자리의 기록으로는 우리나라의 국보 제228호로 지정된 천상열차분야지도각석이 있다. 이 천문도는 조선 태종 4년(1395년)에 고구려시대 천문도 비석을 바탕으로 새긴 것으로 283개의 별자리가 있다. 중요한 별자리로는 천시원, 자미원, 태미원으로 불리는 3원과 동서남북의 4가지 신령스런 동물을 의미하는 28수가 있다. 이외에도 북두칠성, 남두육성, 삼태성(三台星) 등이 유명하며, 노인성, 견우성, 직녀성, 천랑성, 구진대성처럼 한 개의 별에 이름이 부여된 것도 많다.

그림 2.13 한국천문연구원 세종홀에 세워진 천상열차분야지도각석

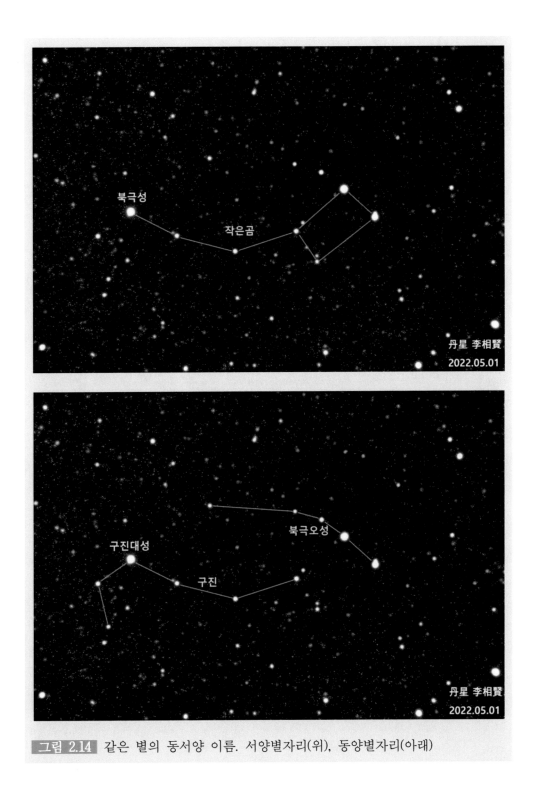

그림 2.14 같은 별의 동서양 이름. 서양별자리(위), 동양별자리(아래)

(7) 별자리들 사이의 흥미로운 천체들

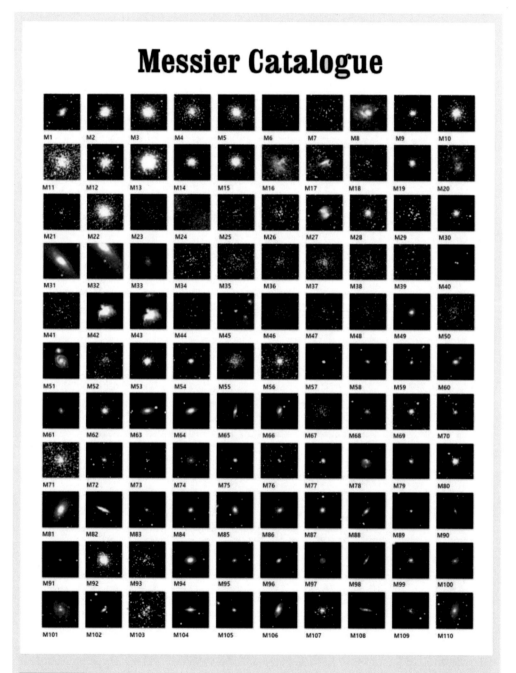

그림 2.15 메시에 목록에 수록된 천체들. 80mm굴절망원경과 DSLR카메라로 촬영한 사진

밤하늘에는 별 외에도 다양한 천체들이 있다. 예를 들면 태양계 내의 천체인 달, 행성, 소행성, 혜성, 유성이 있다. 이 외에도 별들이 무리지어 있는 성단, 가스와 먼지로 구성된 성운, 우리은하계처럼 수많은 별들이 모여 있는 매우 멀리 떨어져 있는 외부은하가 있다. 최근에는 자연의 천체가 아닌 인공위성, 국제우주정거장 등 인공의 물체가 밤하늘에서 별처럼 반짝이는 점으로 보인다. 이점들은 한 위치에 정지해 있기도 하고, 비행기보다 조금 느리게 움직이기도 한다. 최근 가속화된 우주개발로 이런 인공의 천체들의 개수가 급격히 증가하고 있다.

이와 같은 다양한 천체들 중에 성운, 성단, 은하를 깊은 하늘 속에서 보이는 천체라는 의미로 딥스카이 천체(deep sky object)라고 부른다. 딥스카이 천체들은 별들처럼 항상 별자리의 특정한 자리에 있기 때문에 체계적으로 목록이 정리되어 있다. 대표적인 딥스카이 목록이 메시에 목록(Messier Catalogue)이다. 메시에 목록은 18세기의 프랑스 천문학자 샤를 메시에가 만든 목록이다. 당시에는 새로운 혜성을 찾는 것이 천문학계에 주요 관측 임무였었다. 혜성을 찾는 과정에서 뿌연 천체가 혼동을 주었기 때문에 메시에는 이 뿌연 천체들을 따로 기록해 두었다. 이것이 계기가 되어 메시에 목록이 되었다.

1774년에 출간된 첫 판에는 이전에 다른 천문학자들이 관측한 대상에 메시에 자신이 관측한 17개의 대상을 더하여 45개의 천체가 수록되었다. 1780년까지 80개로 늘어났고, 1781년에 103개의 천체를 포함한 최종판이 출판되었다. 이후 다른 천문학자들의 보완과 추가의 과정을 거쳐 1967년에 110개의 천체로 정리되었다. 메시에 목록에 수록된 천체들은 초창기 망원경으로 관측할 수 있을 정도로 밝은 대상들이다. 오늘날에도 작은 망원경으로 밤하늘을 감상하는 아마추어 천문인들의 사랑을 받고 있다. 메시에 목록의 천체는 M1, M2와 같이 숫자 앞에 M을 적어서 나타낸다. 그림 2.15의 사진은 저자가 80mm굴절망원경과 DSLR카메라로 촬영한 사진이다.

관측기술이 발달함에 따라 딥스카이 천체에 대한 체계적인 관측이 진행되어 훨씬 더 많은 어두운 천체들이 발견되었다. 1888년에 영국의 천문학자 드레이어(Dreyer)는

7,840개의 딥스카이 천체를 목록으로 만들었다. 이 목록을 NGC 목록이라고 하는데, New General Catalogue의 약자이다. New의 의미는 윌리엄허셜 부자의 2대에 걸친 관측 자료로 5,079개의 딥스카이 천체의 목록(General Catalogue)을 새롭게 정리했다는 의미이다. 이후 1,520개의 천체가 추가로 더 분류되어 색인 목록이라는 의미의 IC (Index Catalogue)목록이 추가되었다. 통상 NGC 목록에 이름이 있는 천체는 메시에 목록에도 있다. 예를 들면 M1을 NGC 1952라고 부를 수도 있다.

제3장 천체망원경의 기초

옛날 사람들은 맨눈으로 밤하늘을 관측하였다. 망원경이 발명된 이후 사람들은 망원경을 이용하여 천체를 관측하였다. 최초의 망원경은 1608년에 네덜란드에서 한스 리퍼세이(Hans Lippershey)가 발명한 굴절 망원경이다. 1609년 갈릴레오 갈릴레이는 망원경을 이용하여 최초로 천체를 관측하였는데, 목성의 위성, 태양의 흑점 등을 발견하면서 코페르니쿠스의 태양 중심 우주론을 입증하였다. 이후 천체망원경의 성능이 개선되면서 오늘날 천문학은 눈부시게 발전하게 되었다. 밤하늘에 있는 흥미로운 천체들을 더 자세히 관측하기 위해서는 천체망원경이 필요하다. 이 장에서는 천체망원경의 원리와 기본적인 형태에 대해 알아보자.

(1) 렌즈와 굴절 망원경의 원리

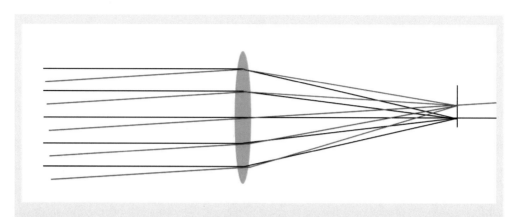

그림 3.1 가운데로 들어온 빛(검은 선)과 비스듬하게 들어온 빛(붉은 선)이 모이는 위치

볼록렌즈는 빛을 모으는 성질이 있다. 볼록렌즈로 햇빛을 모아서 종이를 태워 본 경험이 있다면 이 성질을 쉽게 이해할 수 있다. 볼록렌즈로 햇빛을 모은 점은 자세히 보면 무한히 작은 점이 아니라 어떤 크기를 가진 원임을 알 수 있다. 그림 3.1의 검은 선은 렌즈에 수직으로 들어온 빛이 한 점에 모이는 모습을 그린 것이다. 만약 이 것을 태양의 중심에서 출발한 빛이라고 가정하면 검은 선으로 표시한 가운데서 모인다. 우리가 보는 태양은 점이 아니기 때문에 태양의 중심에서 약간 벗어난 곳에서 출발한 빛은 이 그림의 붉은 선처럼 렌즈에 약간 비스듬하게 입사하게 된다. 그러면 그림에서처럼 초점면1) 상의 다른 위치에 모이게 된다. 이런 방식으로 태양의 모든 위치에 있는 작은 점들의 초점을 모으면 작은 점이 아니라 원반의 형태가 된다.

이번에는 그림 3.2에서처럼 렌즈로부터 멀리 떨어진 곳에 촛불을 놓아보자. 촛불의 모든 점에서부터 출발한 빛은 렌즈에 의해 각각 다른 위치에서 모인다. 이렇게 모인 영상은 초가 놓인 방향과 반대로 뒤집어진 모습이라서 도립실상(道立實像/Reversed real image)이라고 부른다. TV화면과 같이 넓은 화면의 빛을 렌즈로 모으면 그림 3.3 에서처럼 도립실상이 스크린에 맺히는 것을 확인할 수 있다.

---

1) 렌즈의 초점이 맺히는 평면

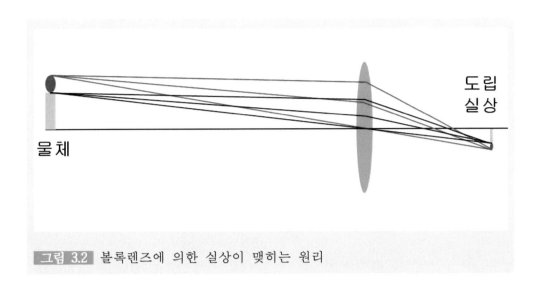

도 립
실 상

물 체

그림 3.2 볼록렌즈에 의한 실상이 맺히는 원리

도립실상

그림 3.3 TV화면을 돋보기로 모은 상

그런데, 우리가 도립실상이 맺히는 위치에 스크린을 두지 않고 그림 3.4처럼 뒤에서 다른 볼록렌즈로 도립실상을 본다면 어떻게 될까? 볼록렌즈를 통해 물체를 보면 돋보기 원리로 물체를 확대된 허상(Virtual image)을 볼 수 있다. 그러면 우리는 촛불을 크게 확대해서 볼 수 있을 것이다. 이 원리의 망원경이 케플러식 굴절망원경이다.

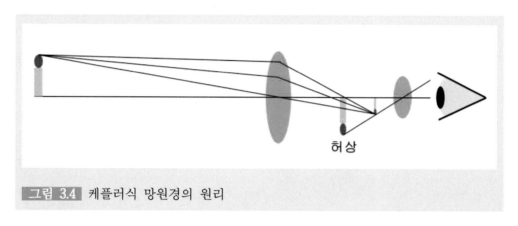

그림 3.4 케플러식 망원경의 원리

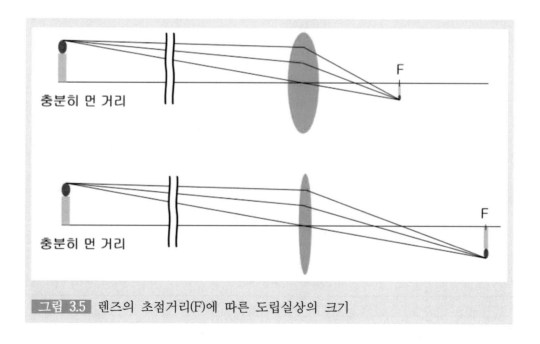

그림 3.5 렌즈의 초점거리(F)에 따른 도립실상의 크기

물체가 충분히 먼 거리에 있을 때 렌즈에서부터 초점이 맺히는 위치까지의 거리를 초점거리라고 부른다. 볼록렌즈의 굴절률[2]이 심하거나 곡률[3]이 심하면 빛은 더 많이

굴절된다. 이런 이유로 렌즈마다 초점거리가 다양하다. 렌즈에 의해 맺히는 도립실상의 크기는 그림 3.5에서 보듯이 렌즈의 초점거리가 길면 더 커진다. 그래서 초점거리가 긴 렌즈를 사용하면 배율이 높은 망원경을 만들기 유리해 진다.

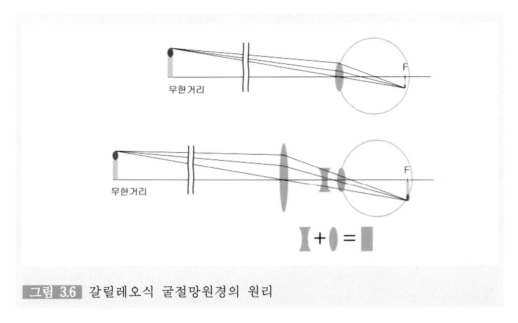

그림 3.6 갈릴레오식 굴절망원경의 원리

사람 눈에도 볼록렌즈가 있다. 눈에 있는 렌즈를 수정체라고 부른다. 수정체의 초점거리는 안구의 직경 정도이다. 만약 우리 눈의 수정체를 초점거리가 긴 볼록렌즈로 바꾼다면, 우리는 멀리 있는 물체를 훨씬 더 크게 확대해서 볼 수 있을 것이다. 볼록렌즈와 오목렌즈를 결합하면 렌즈가 없는 투명유리창으로 만들 수 있다. 우리 눈앞에 오목렌즈를 둔다면 볼록렌즈인 수정체를 광학적으로 없앨 수 있다. 그리고 그 앞에 초점거리가 긴 볼록렌즈를 두면 멀리 있는 물체를 크게 확대해서 볼 수 있다. 이 원리로 만들어진 망원경이 갈릴레오식 굴절망원경이다. 케플러식 망원경은 대물렌즈에 의해 맺힌 도립실상을 확대해서 보기 때문에 물체가 거꾸로 보인다. 이에 비해 갈릴레오식 굴절망원경은 수정체를 초점거리가 긴 볼록렌즈로 바꾼 것이기 때문에 사물이 똑바로 보인다.

---

2) 굴절률은 진공에서의 빛의 속도를 매질에서 빛의 속도를 나눈 값으로 정의된다. 빛은 서로 다른 두 점을 이동할 때 최단시간에 도달하는 경로를 따라가는 성질이 있다. 이 성질로 인해 굴절률이 다른 물질을 통과할 때 진행방향이 꺾인다. 굴절률이 클수록 빛은 많이 꺾인다.
3) 렌즈 표면이 굽은 정도

(2) 오목거울을 이용한 반사 망원경

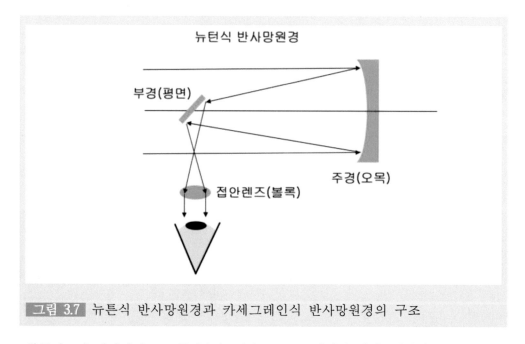

그림 3.7 뉴튼식 반사망원경과 카세그레인식 반사망원경의 구조

볼록렌즈와 마찬가지로 오목거울은 빛을 모으는 성질이 있다. 이러한 성질이 있기 때문에 오목 거울은 망원경을 만들 때 볼록렌즈를 대체할 수 있다. 이렇게 볼록렌즈 대신 오목거울을 이용하여 만든 망원경을 반사망원경이라고 부른다. 오목거울은 빛을 앞으로 모아주기 때문에 관측자는 망원경의 앞에서 관측해야 한다. 그러면 관측자로 인해서 빛이 가리게 된다. 이 문제를 해결하기 위해서 부경이라고 불리는 작은 평면 거울로 빛의 경로를 옆으로 돌려서 관측한다. 이런 형태로 만들어진 망원경을 뉴턴식 반사망원경이라고 부른다.

뉴튼식 반사망원경은 굴절망원경과는 달리 망원경의 앞부분에서 관측하게 된다. 이 것은 망원경의 크기가 작을 때는 별 문제가 되지 않는다. 그러나 초점거리가 사람의 키보다 긴 망원경을 뉴턴식으로 만들려고 하면 관측자가 사다리 등을 이용하여 높이 올라가서 관측해야 하는 어려움이 발생한다. 이러한 어려움을 극복하기 위해 고안된 방식이 카세그레인식 망원경이다.

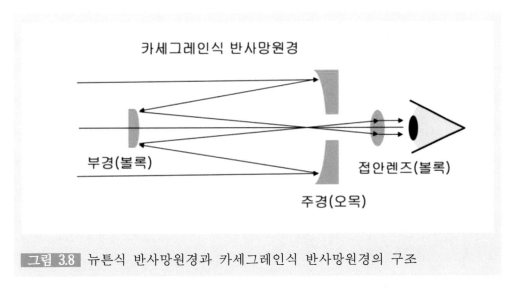

그림 3.8 뉴튼식 반사망원경과 카세그레인식 반사망원경의 구조

카세그레인식 망원경은 주경에서 모아진 빛을 부경이 망원경 뒤로 반사하여 망원경의 뒷부분에서 관측하게 되어있다. 부경은 초점거리를 연장하기 위해 볼록거울로 되어 있고 주경의 가운데에 구멍이 뚫려 있다. 망원경의 뒷부분에서 관측하기 때문에 대구경, 장초점 망원경에 적합하여 천문대에 설치된 대형망원경은 대부분 카세그레인식 또는 이 구조를 기반으로 약간 더 개선한 방식을 사용한다.

카세그레인식 망원경은 부경으로 볼록거울을 사용하기 때문에 초점거리를 연장하는 효과가 있다. 실제로 유효초점거리는 망원경 길이의 2배보다 길다. 그래서 이런 형태의 망원경은 행성처럼 각 크기가 작은 천체를 확대해서 관측하기에는 유리하지만 시야가 넓은 대상을 관측할 때는 불리하다.

(3) 망원경의 가대

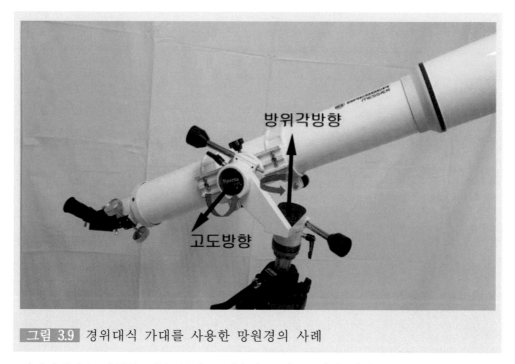

그림 3.9 경위대식 가대를 사용한 망원경의 사례

천체망원경은 대부분 매우 무겁고 배율이 높다. 그래서 안정적으로 천체를 관측하기 위해 망원경을 지지하고 움직이는 구동계의 역할이 매우 중요하다. 망원경의 구동계를 가대(架臺)라고 부른다. 영어식 표기로는 마운트(mount)이다. 가대는 적도의식과 경위대식 두 가지가 있다. 적도의식 가대는 지구의 자전에 의해 발생하는 천체의 일주운동 방향으로 망원경을 움직일 수 있도록 설계된 방식이다. 이에 비해 경위대식 가대는 망원경을 고도방향인 상하와 방위각방향인 좌우로 움직일 수 있도록 설계된 방식이다. 그림 3.9는 경위대식 가대에 경통을 올린 사례이다. 이런 경위대식 가대는 일주운동을 따라갈 수 없어서 고배율관측이나 장시간 관측에 적도의식 가대에 비해 불편하다. 망원경이 처음 발명된 직후인 17세기 당시 초기의 망원경은 주로 경위대식으로 많이 만들어졌다. 그러나 천문관측에서 사진이 본격적으로 사용되기 시작한 이후로는 장시간 노출한 사진 관측이 중요해지면서 일주운동을 따라서 움직이는 적도의식 망원경이 주류가 되었다.

그림 3.10 독일식 적도의

적도의식 가대는 일주운동을 따라 별을 추적할 수 있도록 동서 구동축과 남북으로 움직일 수 있는 구동축으로 구성되어 있다. 기계적으로 다양한 형태가 가능한데, 그림 3.10는 소형 망원경에 흔히 사용되는 독일식 적도의라고 불리는 방식이다. 독일식 적도의는 사진에서 보는 것처럼 망원경의 반대편에 균형추를 두고 설치하는 방식이다. 적경이 회전하는 회전축을 천구의 북극을 향하도록 설치하면 별을 추적할 수 있다. 이 방식은 망원경의 구성품을 분리하여 이동하고 설치하는 것이 용이해서 이동식 소형 망원경에 적합하다. 가대의 아랫부분은 기둥을 사용하거나 삼각대를 사용하여 지지한다.

독일식 적도의 망원경은 한 가지 불편한 점이 있다. 동쪽하늘의 천체가 일주운동을 하다가 자오선을 지나면 망원경이 무게추보다 낮아지고 경통이 삼각대나 기둥에 충돌할 위험이 발생한다. 이 문제점으로 천체가 자오선에 올 때 연속적으로 관측하기 어렵다는 점이다. 그래서 천체가 자오선의 동쪽에서 서쪽으로 넘어갈 때 망원경을 뒤집어야 한다. 이것을 독일식 뒤집힘(German flip)이라고 부른다. 그림 3.11에서 두 상황의 모습을 모형으로 재현해 보았다.

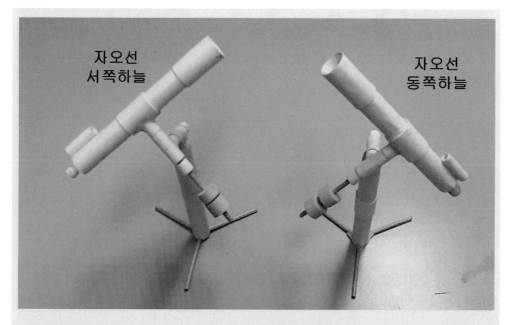

그림 3.11 독일식 뒤집힘(German flip) 현상. 사진은 저자가 직접 제작한 독일식 적도의 망원경 모형

적도의 망원경 중에서 흔히 많이 사용되는 방식으로는 포크식 적도의가 있다. 포크식은 독일식에서 문제가 되었던 독일식 뒤집힘은 없다. 천구의 북극을 관측할 때 다소 불편한 점은 있지만 특수한 경우가 아니면 북극을 잘 관측하지 않기 때문에 대부분의 관측에서 큰 문제는 되지 않는다. 포크식 적도의 가대는 주로 카세그레인식 반사망원경처럼 경통의 길이가 짧은 망원경용으로 많이 사용한다. 천문대에 설치된 구경이 큰 반사 망원경에 많이 사용하고 있다. 그림 3.12는 김해천문대에 설치된 구경 60cm반사망원경인 포크식 적도의 가대이다.

적경회전 적위방향

그림 3.12 김해천문대 60cm망원경과 포크식 적도의

구경이 매우 큰 망원경을 건설할 때 적도의 방식을 채택하면 경위대식에 비해 제작 비용이 훨씬 많이 든다. 그래서 매우 큰 구경의 망원경은 경위대식으로 만들어진다. 그 대표적인 예로 전파망원경이 있다. 그림 3.13에 있는 KVN울산전파천문대 구경 21 미터 전파망원경은 경위대 방식으로 구동된다. 일주운동을 따라가기 위해 컴퓨터로 계산된 속도로 고도와 방위각을 움직이게 되어있다. 광학 망원경의 경우에도 경위대 식으로 일주운동을 추적하게 되면 제작비용과 설치공간을 많이 줄일 수 있다. 대표적 인 예로 우리나라에 설치된 가장 큰 광학 망원경인 보현산천문대의 구경 1.8미터 망 원경은 경위대식으로 설계되었다. 이 외에도 건설 중인 구경 25미터 광학망원경인 GMT[4])를 비롯한 초대형 광학망원경들은 모두 경위대식으로 설계되었다.

---

4) Gaint Magellan Telescope, 한국이 참여하고 있는 차세대 대형망원경

그림 3.13 경위대식으로 움직이는 KVN울산전파천문대 21m 전파망원경

경위대식 망원경 중에 가장 널리 사용되는 망원경의 형태는 돕소니안 망원경 (Dobsonian telescope)이다. 돕소니안 망원경은 1965년 아마추어 천문가인 존 돕슨 (John Dobson)에 의해 고안되었다. 이 방식의 망원경은 뉴튼식 반사망원경으로 광학적, 기계적인 설계를 단순화하여 대구경의 망원경을 가볍고 작게 만든 망원경이다. 고도와 방위각 방향으로 자유롭게 움직여 원하는 천체를 맞춘 뒤 고정장치 없이 관측하도록 설계되어 있다. 망원경의 광학계를 지지하는 경통도 여러 개의 막대로 지지하는 트러스 방식을 채택하여 무게와 부피를 획기적으로 줄일 수 있다. 이 방식의 망원경으로는 구경 40cm까지 일반 승용차에 실어서 움직이는데 큰 어려움이 없다. 만약 조금 큰 SUV차량에 싣는다면 구경 50~60cm급 망원경도 이동하여 설치가 가능하다.

그림 3.14 돕손니안 망원경의 사례

제4장 천체망원경의 성능

　천체망원경은 어두운 천체를 밝게 볼 수 있게 해 주고, 흐릿한 것을 더 선명하게 볼 수 있게 해 준다. 그리고 망원경에 따라 한 번에 볼 수 있는 하늘의 넓이가 다르다. 우리가 사용할 수 있는 천체망원경은 매우 다양하다. 그러면 어떤 망원경이 좋은 망원경일까? 이 단원에서는 천체망원경의 기본 성능 및 광학계의 근본적인 결함과 이를 극복할 수 있는 기술에 대해 알아보자.

(1) 망원경의 기본 성능

1. 집광력과 한계등급

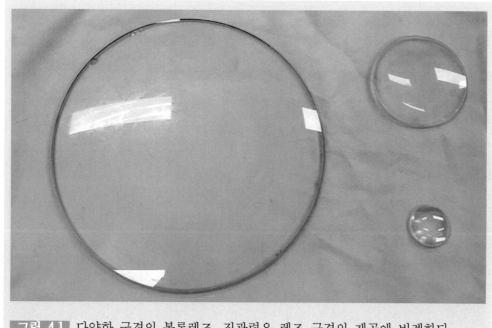

그림 4.1 다양한 구경의 볼록렌즈. 집광력은 렌즈 구경의 제곱에 비례한다.

천체망원경은 볼록렌즈나 오목거울로 희미한 천체의 빛을 모아서 관측하는 도구이다. 빛을 모을 수 있는 양은 렌즈나 거울의 면적에 비례한다. 면적은 구경의 제곱에 비례하기 때문에 구경이 큰 망원경으로는 더 어두운 천체를 관측할 수 있다. 이렇게 망원경이 빛을 모을 수 있는 능력을 집광력(Light Gathering Power)[1]이라고 부른다. 집광력은 사람의 눈에 비해 몇 배나 많은 빛을 모을 수 있는지를 기준으로 한다.

---

1) 집광력 LGP는

$$LGP = \frac{D_t^2}{D_e^2}$$

여기서 D_t는 망원경의 구경, D_e는 사람 동공의 지름이다.

2. 초점거리와 건판척도

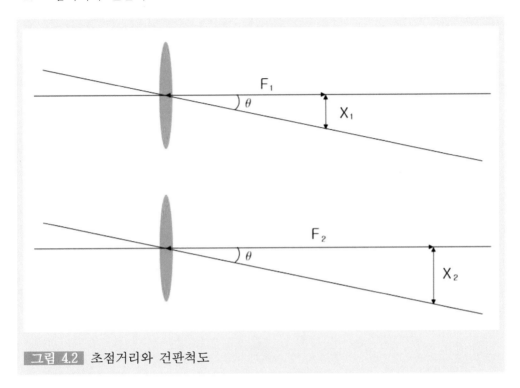

그림 4.2 초점거리와 건판척도

　망원경의 초점거리가 길어지면 초점면에 맺히는 상의 크기가 커진다. 충분히 멀리 떨어진 물체의 상은 초점거리의 위치에 맺히기 때문에 그림 4.2에서 보듯이 초점거리가 길어지면 상의 크기가 더 커지게 된다. 그 정도를 건판척도[2]라고 부른다. 건판척도는 천체 이미지를 촬영할 때 어느 정도 시야로 관측할 수 있는지에 대한 정보를 준다. 관측하고 싶은 천체의 각 크기에 따라 어떤 초점거리의 망원경과 어떤 크기의 이미지 센서를 조합해야 할지를 미리 예측할 수 있게 해 준다. 앞서 소개한 천문 소프트웨어 스텔라리움에서 망원경의 초점거리와 카메라 이미지 센서 크기를 입력하면 촬영될 시야를 미리 예측할 수 있다. 그림 4.3은 초점거리가 다른 두 망원경으로 같은 대상을 촬영하여 시야를 비교한 것이다.

---

2) 건판척도 θ는

$$\theta = \tan^{-1}\frac{X}{F} \fallingdotseq \frac{X}{F}(radian) = \frac{X}{F}\frac{180}{\pi}(°)$$

여기서 X는 초점면에서의 길이, F는 초점거리

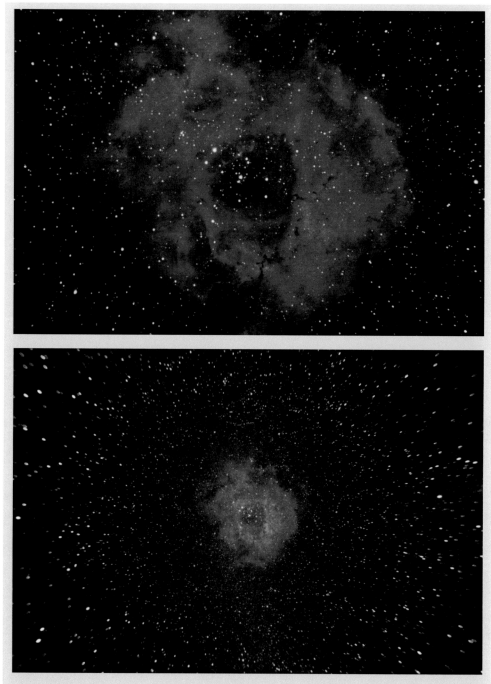

그림 4.3 초점거리가 다른 두 망원경과 같은 크기의 이미지 센서가 탑재된 카메라로 관측한 장미성운. 위는 초점거리 760mm, 아래는 초점거리 200mm이다. 사용한 카메라에 탑재된 이미지 센서의 크기는 22.3×14.9mm이다.

3. 배율과 시야각

그림 4.4 배율과 시야각이 다른 두 망원경의 화면을 스마트폰으로 촬영한 모습. 두 망원경 모두 대물렌즈 초점거리 1000mm, 접안렌즈 초점거리 25mm로 40배. 좌측은 겉보기시야 40°, 우측은 겉보기시야 50°이다. 배율은 동일하지만 우측의 화면이 더 넓게 나온 것을 알 수 있다.

망원경은 멀리 있는 물체를 크게 확대해서 보여주는 장치이다. 그래서 배율은 망원경의 가장 기본적인 성능이라고 생각할 수 있다. 그러나 망원경에서 배율은 접안렌즈를 교체해서 간단하게 바꿀 수 있기 때문에 망원경의 가치를 평가할 때는 중요하게 생각하지 않는 성능이다. 망원경 배율(m)의 정의는 망원경을 통해서 보는 물체의 각 크기(θ_t)를 망원경 없이 보는 각 크기(θ_e)로 나눈 값이다[3]. 망원경의 배율은 대물렌즈의 초점거리(F)를 접안렌즈의 초점거리(F_e)로 나눠서 구할 수 있다[4].

멀리 있는 물체를 망원경을 통해 보게 되면 맨눈으로 볼 때 봤던 시야 전체를 볼 수 없고 일부분만 보게 된다. 이런 현상은 망원경의 배율을 높일수록 두드러진다. 그래서 넓은 시야를 보려면 배율을 낮추는 것이 좋다. 그러나 망원경을 통해서 볼 수 있는 시야는 배율 외에 접안렌즈의 성능에도 같이 의존한다. 접안렌즈에 눈을 대고 시야의 가장자리를 보면 둥근 경계를 확인할 수 있다. 이 때, 눈에 보이는 시야의 각도를 접안렌즈의 겉보기시야라고 한다. 망원경을 통해서 볼 수 있는 시야인 실시야(f_{obs})는 배율과 접안렌즈의 겉보기시야(f_{app})로 계산할 수 있다[5].

같은 배율로 확대하고도 넓은 시야를 관측할 수 있는 망원경은 좁은 시야밖에 보이지 않는 망원경보다 성능이 좋다. 고배율 접안렌즈를 만들기 위해서는 초점거리가 짧은 렌즈를 사용하면 되지만 겉보기시야가 넓은 접안렌즈를 만들려면 여러 개의 렌즈를 복잡하게 조합해야 한다. 최근에 나오는 일반적인 접안렌즈의 겉보기시야는 50°~60° 정도인데, 과거의 접안렌즈에 비해 매우 넓어진 것이다. 최근에는 겉보기시야 80° 이상 광시야 접안렌즈가 제작되어 나오고 있으며, 100°까지 출시되고 있다.

---

3) $m = \dfrac{\theta_t}{\theta_e}$

4) $m = \dfrac{F}{F_e}$

5) $f_{obs} = \dfrac{f_{app}}{m}$

4. 초점비와 밝기

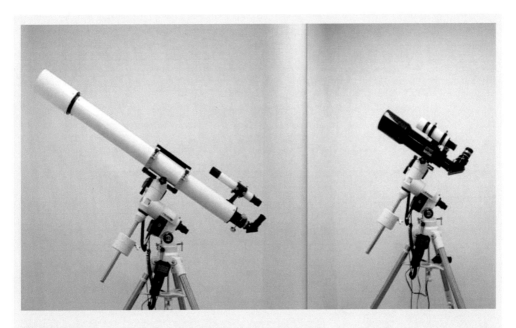

그림 4.5 구경이 같지만 초점비가 다른 두 망원경. 두 망원경 모두 구경 80mm 굴절망원경으로 좌측은 f/15의 굴절망원경, 우측은 f/6의 굴절망원경

초점비란 대물렌즈의 초점거리(F)를 구경(D)으로 나눈 값으로 f/수치로 표기한다[6]. 대물렌즈의 초점거리가 길어지면 상의 크기가 커진다. 렌즈를 통해 들어오는 빛의 양은 렌즈의 면적에 비례하기 때문에 동일한 구경의 망원경이라면 초점거리가 길어지면 초점면에 맺힌 상의 밝기가 어두워진다. 초점비가 크면 상의 밝기가 어둡다는 의미이다. 낱개의 별을 관측하는 경우에는 점광원이기 때문에 별 자체의 밝기는 큰 변화가 없다. 초점면에 맺힌 별들 사이의 거리가 멀어져서 같은 접안렌즈로 관측하면 한 번에 볼 수 있는 별의 수가 작아진다. 은하나 성운처럼 희미한 빛이 퍼져 있는 대상은 초점비가 작은 망원경으로 관측하면 더 밝게 볼 수 있다.

---

6) $f/ \ = \ \dfrac{F}{D}$

5. 분해능

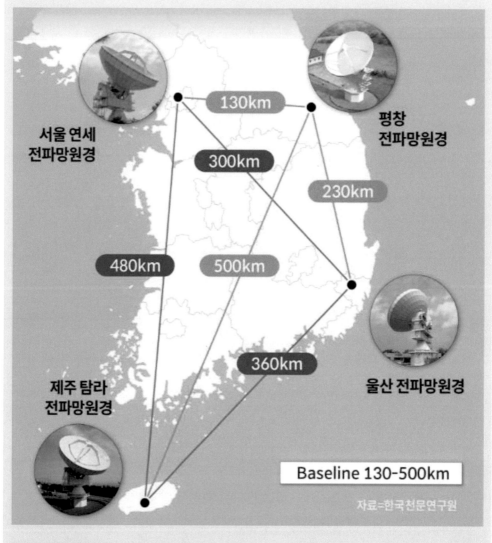

그림 4.6 한국우주전파관측망(KVN). 파장이 긴 전파망원경을 VLBI기술로 분해능을 높인 전파망원경 네트워크

분해능(Resolving Power, RP)[7]은 가까운 각도로 떨어진 두 개의 물체를 두 개로 분해해서 볼 수 있는 최소각을 말한다. 이 각은 이상적인 경우 빛의 파장에 비례하고

---

7) $RP = 1.22 \dfrac{\lambda}{D}(radian) = 1.22 \dfrac{\lambda}{D} \times 206265 (arcsec)$

여기서 λ는 빛의 파장이고 는 D망원경의 구경이다.

망원경의 구경에 반비례한다. 분해능이 좋은 망원경으로 별을 관측하면 가까이 모여 있는 별들을 잘 분해해서 볼 수 있다. 분해능 수치는 작을수록 성능이 좋은 망원경을 의미한다. 구경이 크면 더 높은 분해능을 얻을 수 있다. 이것이 천문학자들이 큰 구경의 망원경을 선호하는 이유이기도 하다. 분해능은 가시광선에 해당하는 파장 500nm에 대해 구경 약 12cm망원경의 분해능은 1″ 정도로 계산된다. 실제로 지구상에서 관측을 하면 대기의 흔들림으로 인하여 분해능이 나빠진다. 날씨가 좋은 높은 산정상이 아니면 1″ 보다 작은 경우는 드물다. 게다가 수차와 같이 망원경의 결함에 의해 분해능이 더 나빠지기도 한다. 분해능을 높이기 위해서 망원경을 우주공간에 띄우거나 대기요동을 보정하는 적응광학(Adoptive Optics) 이라는 특수한 기술을 적용하기도 한다.

　분해능은 관측하려는 빛의 파장이 길면 나빠진다. 파장이 긴 전파를 관측하는 전파망원경의 경우에는 관측하는 빛의 파장이 가시광선에 비해 수 천 배 내지 수 십 만 배 더 길다. 그래서 전파망원경은 구경이 수 십 미터 이상이 되어도 충분한 분해능을 얻기 어렵다. 전파천문학자들은 여러 대의 전파망원경을 먼 거리에 두고 동일한 천체를 관측하여 합성하는 방법으로 이러한 문제를 해결하였다. 이런 전파망원경들의 연결을 초장기선전파간섭계[8], 영어 첫 글자를 따서 VLBI라고 부른다. 우리나라에도 울산, 서울, 제주도 서귀포, 강원도 평창에 각각 지름 21m 전파 망원경을 설치하여, 지름 약 500km의 망원경의 분해능을 가진 초장기선전파간섭계 KVN[9]이 있다(그림 4.6).

---

8) Very Long Baseline Interferometry
9) Korean VLBI Network

6. 가대의 성능

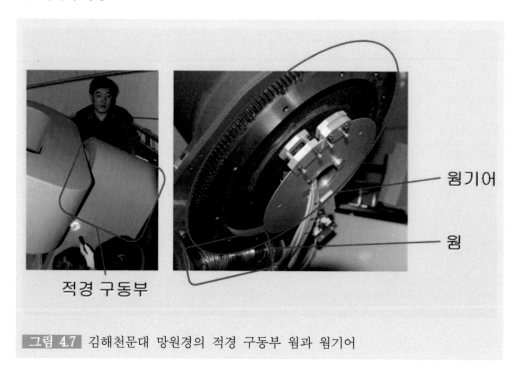

그림 4.7 김해천문대 망원경의 적경 구동부 웜과 웜기어

가대의 성능은 경통에 못지않게 중요하다. 가대의 성능으로는 탑재중량, 추적정밀도와 주기오차, 지향정밀도가 있다. 탑재중량은 몇 kg의 경통을 올릴 수 있는지에 대한 허용치인데, 일반적으로 탑재중량이 클수록 좋다고 생각할 수 있다. 그러나 이동식 망원경의 경우 무게가 무거워질 수 있기 때문에 필요 이상으로 클 필요는 없다.

추적정밀도는 전자부와 기계부가 얼마나 정교하게 잘 만들어졌는지 따라 달라진다. 적도의식 망원경은 웜과 웜기어를 이용하여 구동하는 경우가 많다. 그림 4.7는 김해천문대의 600mm 반사망원경인데, 웜과 웜기어를 이용하여 구동하는 방식이다. 웜이 한 바퀴 돌면 웜기어의 나사산 하나가 움직이면서 망원경을 조금씩 움직이는 방식이다.

이 방식으로 움직이는 망원경은 웜과 웜기어의 가공 오차에 의해 웜이 한 바퀴 돌 때마다 망원경이 주기적으로 흔들리는 현상이 있다. 이렇게 발생하는 추적오차를 주기오차라고 부른다. 주기오차는 적도의가 어떻게 만들어졌는지에 따라 진폭이나 주기가 다를 수도 있다. 별을 짧은 노출로 여러 장을 촬영하여 특정한 별의 위치가 달라지는 것을 관찰하면 주기오차의 주기와 진폭을 확인할 수 있다. 그림 4.8은 셀레스트론 사의 AVX적도의를 이용하여 자동 추적을 하면서 천구적도 방향의 별을 30초마다 한 번씩 촬영하여 그 별의 적경, 적위방향의 위치 변화를 그래프로 그린 것이다. 이 그래프를 보면 적위 방향으로 약 10분을 주기로 약 30″ 정도 흔들리는 것을 확인할 수 있다. 이 그래프에서 적위방향의 변화량이 선형적으로 기울어진 것은 극축오차에 기인한 것이며, 적경방향으로 기울어진 것은 추적속도의 오차에 의한 것으로 생각할 수 있다. 천체사진을 촬영할 때 주기오차가 크면 점상의 별 영상을 얻기 어렵다. 따라서 주기오차가 작은 적도의가 좋은 적도의라고 할 수 있다.

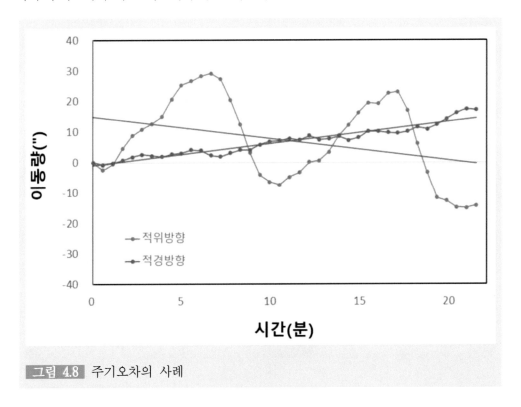

그림 4.8 주기오차의 사례

　　그러나 대부분의 적도의는 크고 작은 주기오차가 존재하기 때문에 요즘은 천체사진을 촬영할 때 가이드 망원경을 사용하는 경우가 많다. 가이드 망원경이란 주망원경 옆에 작은 망원경을 두고, 관측대상 방향에 있는 임의의 적당한 별을 골라 그 별의 움직임을 확인하는 장치이다. 이 장치를 이용하여 추적 오류를 보정하면서 촬영하는 관측을 가이드관측이라고 말한다. 이때 가이드에 사용하는 별을 가이드별이라고 부른다.

　　예전에는 가이드별을 사람이 직접 눈으로 확인하면서 관측하였다. 그러나 최근에는 자동가이드 기능을 사용할 수 있는 가이드 카메라가 저렴하게 공급되면서 자동가이드가 많이 사용되고 있다. 자동가이드를 하는 경우에는 긴 노출시간에도 점상의 별 영상을 얻을 수 있다. 그림 4.9에서 가이드 망원경과 가이드 카메라가 설치된 모습을 볼 수 있다.

그림 4.9 가이드 망원경와 가이드 카메라를 장착한 모습

　　전자식으로 구동하는 적도의에는 특정한 천체의 좌표 또는 목록에 있는 천체로 망원경이 자동으로 지향하도록 하는 기능이 있다. 이 기능은 망원경을 설치하고 적도의 제어장치에 시간, 날짜, 위치 정보를 입력한 뒤, 몇 개의 밝은 별로 망원경 위치를 초

기화하여 사용할 수 있다. 망원경을 초기화한 후 제어장치에 관측하고 싶은 천체를 입력하면 자동으로 원하는 천체를 향하게 된다. 이때 천체를 정확하게 찾아주는 능력을 지향정밀도라고 부른다. 이 성능은 장비가 정밀할수록 좋지만 극축 정렬이 잘못되면 오차가 커질 수 있다. 망원경의 지향정밀도가 떨어지면 시야가 좁은 카메라나 고배율 접안렌즈를 사용한 관측에서 대상을 찾기 어렵다. 안시관측의 경우에는 저배율 광시야 접안렌즈를 이용하여 대상을 찾은 뒤에 원하는 배율로 맞춰서 관측하면 되지만, 사진관측의 경우에는 이런 방법을 적용하기 매우 어렵다.

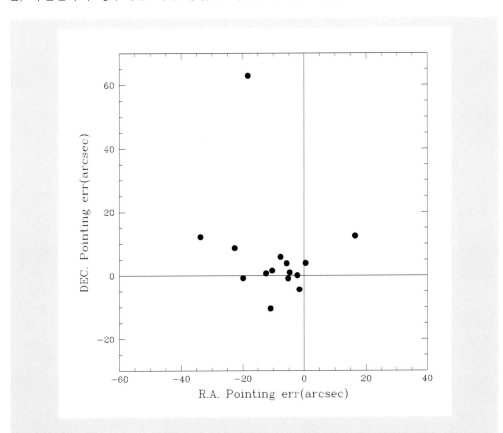

그림 4.10 김해천문대 200mm굴절망원경의 지향정밀도 사례. 특정별을 기준으로 밝은 다른 별로 보냈다가 다시 돌아 왔을 때 원래 위치에서 벗어나는 정도를 측정하여 그래프로 그린 것이다(2008 이상현, 강용우, 김욱 천문학회보, v.33, no.1, pp.48.1)

(2) 수차와 비네팅(Vignetting)

수차란 상을 맺을 때한 점에서 나온 빛이 광학계를 통한 다음 한 점으로 모이지 않고 영상이 번지거나 일그러지는 현상이다. 초점면의 중심에서도 나타나는 수차는 구면수차와 색수차가 있으며, 가장자리에서 나타나는 수차는 코마수차, 비점수차, 만곡수차, 왜곡수차가 있다. 그리고 초점면의 중심에 비해 가장자리가 어두워지는 비네팅이 현상이 있다.

1. 색수차

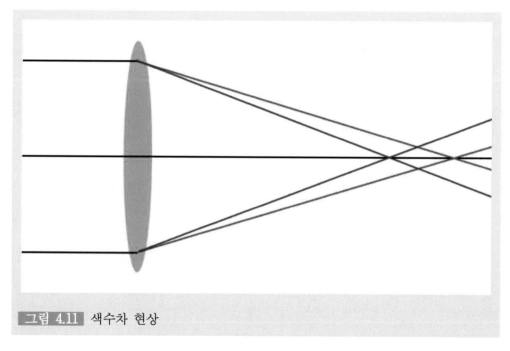

그림 4.11 색수차 현상

유리는 빛의 파장에 따라 굴절률이 다르다. 그래서 프리즘에 의해 빛이 굴절될 때 붉은색보다 푸른색이 많이 굴절되어 백색광이 무지개 색으로 번지게 된다. 렌즈를 유리로 만들면 파장이 긴 붉은 색은 적게 굴절하고 파장이 짧은 푸른색은 많이 굴절한다. 그래서 초점면에서 빛이 맺힐 때 한 점에서 맺히지 못하고 색깔마다 다른 위치에 맺히게 된다. 이런 현상에 의해 유리로 만든 볼록렌즈로 망원경을 만들면 사물이 무지개 빛깔로 번져 보이게 된다. 이것을 색수차라고 한다.

　그림 4.11에 색수차가 일어나는 현상을 그림으로 나타내었다. 이 그림에서 보면 파장이 긴 붉은색 빛은 적게 굴절하여 푸른색에 비해 긴 초점거리를 가지게 된 것을 알 수 있다. 카메라의 이미지 센서를 놓는 위치에 따라 푸른색에 초점이 맞으면 붉은색이 번지게 되고, 붉은 색에 초점이 맞으면 푸른색이 번지게 된다. 그림 4.12는 색수차가 있는 망원경으로 별을 촬영한 것인데, 붉은색에 비해 푸른색이 많이 번져 있는 것을 확인할 수 있다.

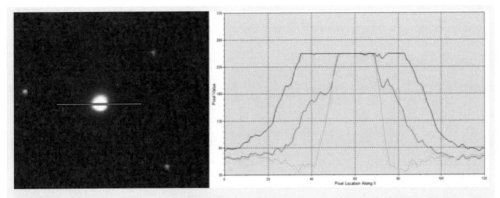

그림 4.12 색수차가 나타나는 망원경으로 촬영한 별상의 색수차. 우측그래프는 좌측 별 위의 흰 선을 따른 색깔별 밝기 분포

2. 구면수차

볼록렌즈에서 빛이 한 점에 모이는 이유는 빛의 굴절에 의한 것이다. 그러나 구면으로 된 렌즈에 나란하게 입사한 빛은 정확히 초점에 맺히지 않는다. 렌즈의 표면에서 일어나는 굴절을 정확히 계산하면 렌즈의 중심을 수직으로 지나는 빛(광축)에서 가까운 빛은 광축에서 먼 빛 보다도 먼 곳에서 맺히는 특성이 있다. 그림 4.13에서처럼 렌즈의 중심에 가까이 지나는 빛은 초점거리가 길고 렌즈의 외곽을 지나는 빛은 초점거리가 짧다. 이런 경우 이미지 센서를 어디에 두어도 선명하게 맺히지 못하고 뿌옇게 흐려진다.

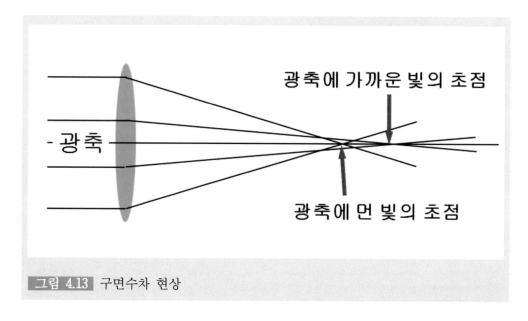

그림 4.13 구면수차 현상

3. 코마수차

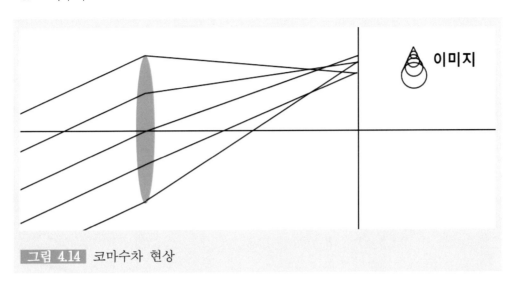

그림 4.14 코마수차 현상

코마수차란 광축에 대해 일정한 각도로 입사하는 광선이 렌즈의 위치에 따라 꺾이는 정도가 달라서 초점면의 한 점에 맺지 않고 꼬리가 있는 혜성 모양의 상이 맺히는 현상이다. 그림 4.15는 코마수차가 심한 망원경으로 촬영한 장미성운인데, 가장자리에 위치한 별들이 혜성처럼 꼬리모양으로 늘어난 것을 확인할 수 있다.

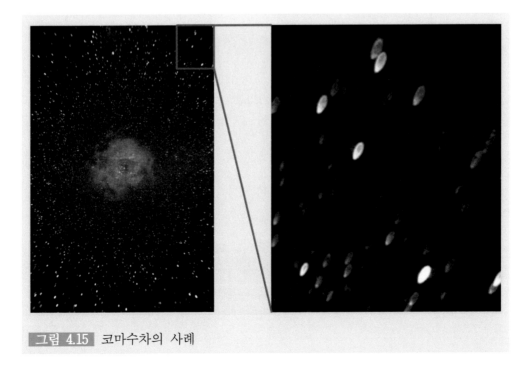

그림 4.15 코마수차의 사례

4. 비점수차

상의 중심이 아닌 가장자리에 맺힌 영상은 렌즈 면에 대해 수직이 아닌 기울어진 방향으로 입사하게 된다. 이 경우 렌즈에 수평 방향과 수직 방향으로 입사한 빛이 모이는 위치가 다르다. 그래서 영상의 가장자리에서 초점을 두는 위치에 따라 별의 모양이 가로로 길쭉해지기도 하고 세로로 길쭉해지기도 하며 십자 모양으로 갈라지기도 한다. 이런 원인으로 가장자리부분의 영상이 일그러지는 수차를 비점수차라고 한다.

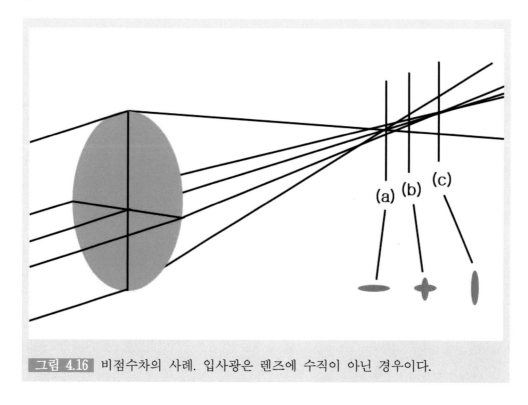

그림 4.16 비점수차의 사례. 입사광은 렌즈에 수직이 아닌 경우이다.

5. 만곡수차

렌즈의 초점면은 평면이 아니라 곡면이다. 평면인 이미지 센서를 사용하여 초점을 맞출 때, 중심에 초점을 맞추면 외곽이 흐려지고 외곽에 초점을 맞추면 중심이 흐려지게 된다. 이렇게 흐려지는 수차를 만곡수차라고 부른다.

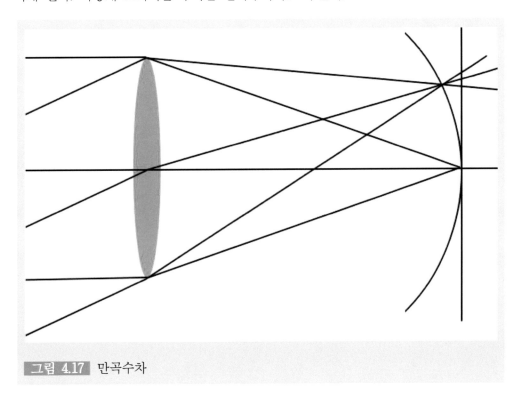

그림 4.17 만곡수차

6. 왜곡수차

상이 맺힐 때 상의 중심과 외곽의 확대율이 차이로 인해 상이 휘어져서 보이는 현상이 있는데, 이것을 왜곡수차라고 부른다. 그림 4.18에서처럼 정방형이 바늘꽃이형이나 술통형으로 왜곡된다. 그 정도는 렌즈마다 유형이나 정도가 다양하게 나타나는데, 렌즈의 광학 설계에 의존한다.

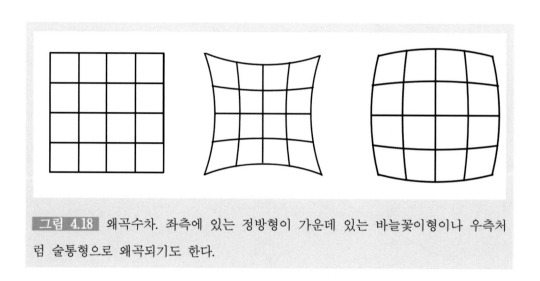

그림 4.18 왜곡수차. 좌측에 있는 정방형이 가운데 있는 바늘꽃이형이나 우측처럼 술통형으로 왜곡되기도 한다.

7. 비네팅(Vignetting)

렌즈를 향해 입사하는 빛의 양은 빛이 렌즈에 비스듬하게 들어올 때 보다 수직으로 들어올 때 더 많이 들어올 수 있다. 이는 여름철 태양의 일사량이 겨울철보다 많은 것과 유사한 원리이다. 렌즈에 수직으로 들어온 빛은 영상의 가운데 맺히고, 비스듬하게 들어온 빛은 가장자리에 맺힌다. 그래서 영상의 중심이 밝고 가장자리는 어두워진다. 이 원인을 비롯해 다른 요인들에 의해 가장자리가 어두워지는 현상을 비네팅이라고 말한다.

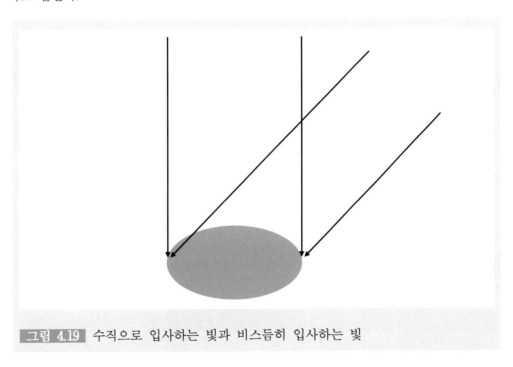

그림 4.19 수직으로 입사하는 빛과 비스듬히 입사하는 빛

8. 색수차, 구면수차 보정

색수차나 구면수차와 같이 초점면 중심에서 발생하는 수차는 망원경 구경에 비해 초점거리가 긴 망원경을 사용하면 개선할 수 있다. 초기에 사용한 망원경은 구경에 비해 매우 길었으며, 망원경의 길이가 망원경의 성능을 나타내는 척도가 되었다.

이후 아크로매틱(Archromatic) 렌즈가 개발되었는데, 이는 굴절률이 다른 두 종류의 유리를 조합하여 색수차를 획기적으로 줄이는 복합렌즈이다. 이렇게 렌즈를 조합하면 구면수차도 상당히 줄어드는 효과가 있다. 그러나 구면수차를 더 효과적으로 줄이기 위해서는 비구면 렌즈를 이용한다. 아크로매틱 렌즈가 개발된 이후에 수차를 더 많이 줄이기 위해 볼록, 오목, 볼록렌즈 3장을 조합하여 수차를 더 효과적으로 보정한 아포크로매틱(Apochromatic) 렌즈가 있다.

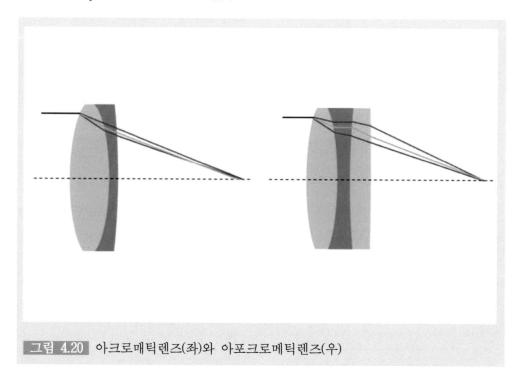

그림 4.20 아크로매틱렌즈(좌)와 아포크로메틱렌즈(우)

최근에는 파장에 따른 굴절률의 차이가 거의 없는 초저분산렌즈를 사용하여 더 효과적으로 색수차를 제거하는데, 이는 오늘날 사용하는 최고급 굴절망원경의 렌즈의 형태로 제조사에 따라 플로오라이트(fluorite), ED, SD, UD, L, APO 등으로 표기하여 출시되고 있다. 이런 고급렌즈는 제작하는 재료가 비싸고 가공이 어려워서 동일 구경의 망원경이라도 아크로메틱 렌즈를 사용한 보급형 망원경에 비해 10배 가까이 더 비싼 경우도 있다.

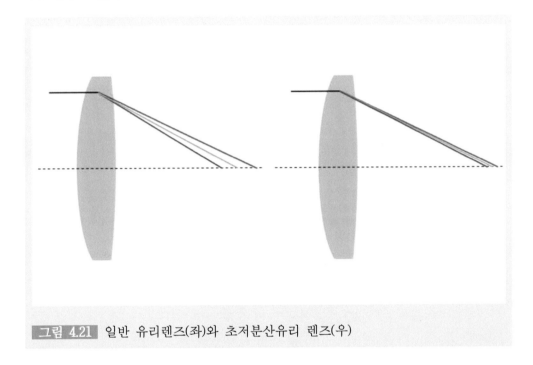

그림 4.21 일반 유리렌즈(좌)와 초저분산유리 렌즈(우)

9. 외곽 수차 보정렌즈

천체사진을 촬영할 때는 사진의 중심뿐 아니라 가장자리까지 선명하게 나오는 것이 중요하다. 그래서 코마수차, 비점수차, 만곡수차, 왜곡수차와 같이 외곽에서 나타나는 수차는 매우 거슬린다. 이를 보정하기 위해 플래터너(Flattener)라고 불리는 보정렌즈를 초점면 근처에 설치하여 사용한다. 사진촬영에 최적화되어 제작된 망원경에는 플레터너 역할을 하는 보정렌즈들이 내장되어 있는 경우도 있다. 안시관측에 최적화된 망원경은 별도의 플레터너를 사용하게 된다. 그림 4.22에 나온 플레터너는 안시용 굴절망원경에 범용으로 사용할 수 있는 2인치 플레터너이다. 이런 플레터너는 T링을 설치하여 카메라와 연결하고, 망원경 접안부에 꽂아 사용할 수 있어서 매우 편리하다.

그림 4.22 2인치 접안부에 사용하는 플레터너의 사례

제5장 천체망원경의 구조와 작동법

    천체망원경으로 관측을 하려면 망원경의 구조와 조작방법에 대한 이해가 필요하다. 천체망원경은 다양한 부품으로 이루어져 있다. 이들 부품의 역할과 사용법을 알고 잘 활용하면 망원경의 성능을 최대로 높일 수 있다. 이렇게 망원경의 활용법을 익혀서 천체망원경을 직접 조작하여 천체를 관측하는 일은 언제나 설레는 일이다. 이 단원에서는 이동식 망원경의 기본 구성과 망원경의 주요 부품들에 대해 설명하고, 망원경을 설치하고 조작하는 요령을 알아보자.

(1) 소형 천체 망원경의 기본 구성

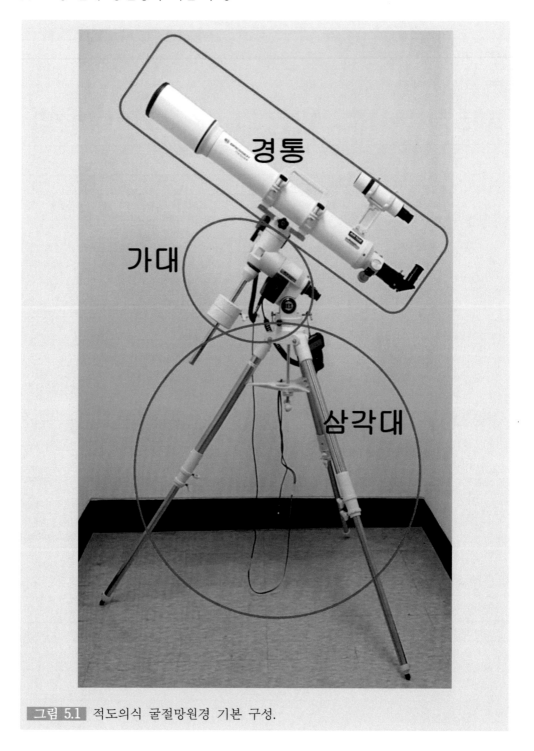

그림 5.1 적도의식 굴절망원경 기본 구성.

1. 망원경 구성품

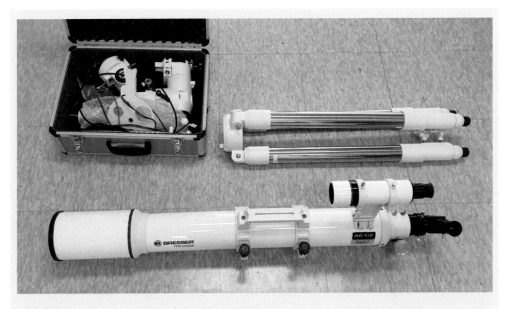

그림 5.2 이동식 망원경을 분해한 적도의(좌상), 삼각대(우상), 경통(하)

천체망원경은 크게 경통, 가대, 삼각대로 구성된다. 이 세 부분은 분리하면 이동 시 운반하기에 용이하다. 그림 5.2는 이동식 망원경을 분리한 사례이다. 이동 시에는 사용자가 적절히 포장하여 운반할 수 있다. 그림의 사례는 가대는 무게가 무겁기 때문에 튼튼한 박스에 포장하고, 삼각대와 경통은 별도의 가방에 넣어 운반하는 경우이다.

2. 경통

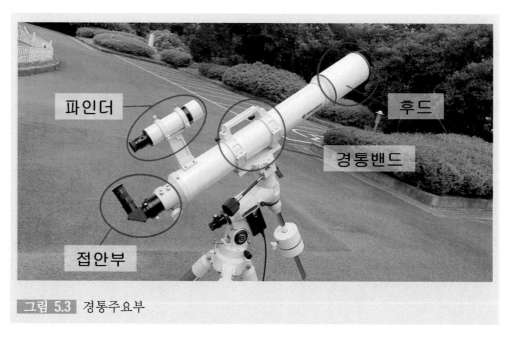

파인더

후드

경통밴드

접안부

그림 5.3 경통주요부

경통은 망원경의 광학계로 크게 주망원경과 파인더 망원경, 경통밴드 그리고 접안부에 다이아고날(diagonal), 접안렌즈 등으로 구성되어 있다. 주 망원경의 접안부는 드로튜브(draw tube)를 움직여서 망원경의 길이를 길고 짧게 변화시키면서 초점조절을 하도록 만들어져 있다. 가장 흔한 초점 조절방식은 랙-피니언 방식이다. 간혹 정밀한 초점 조정을 위해 헬리코이드 방식으로 만들어진 경우도 있다. 전동식 망원경의 경우 전동초점조절장치를 사용하여 초점 조절의 정확도를 높일 수 있다.

그림 5.4 다양한 초점조절장치. 랙-피니언 방식(좌)와 헬리코이드 방식(중), 전동 초점 방식(우)

3. 적도의 가대와 삼각대

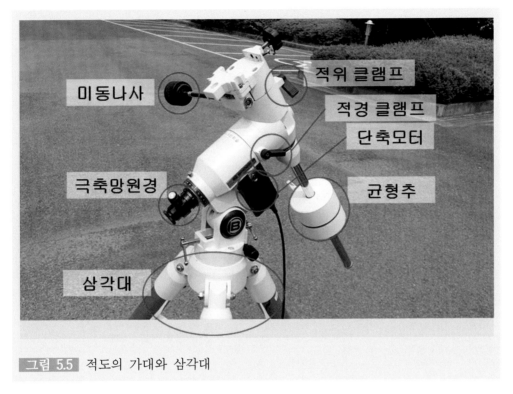

미동나사

적위 클램프
적경 클램프
단축모터

극축망원경

균형추

삼각대

그림 5.5 적도의 가대와 삼각대

적도의 가대는 망원경을 가동하고 일주운동을 따라 움직일 수 있도록 만들어진 기계 구동부분이다. 일반적으로 이동식 망원경은 분해했을 때 부피가 작은 독일식 적도의 가대가 많이 이용되고 있다. 독일식 적도의 가대는 적도의 본체와 균형추, 추봉, 미동나사, 핸드컨트롤러 등으로 구성되어 있다.

삼각대는 지면에 망원경을 세울 수 있도록 만들어진 부분이다. 삼각대를 사용하게 되면 지면이 고르지 않은 야외에서 흔들림 없이 지지할 수 있다는 장점이 있다. 그러나 망원경이 천정을 향할 때 경통이 삼각대에 부딪힐 수 있다는 단점도 있다. 이 문제는 삼각대 대신 기둥 방식을 사용하면 많이 해소할 수 있는데, 이동식으로 사용하기에는 운반설치가 불편하다. 그래서 고정식 망원경인 경우 삼각대 보다 기둥식의 지지방식을 많이 사용한다.

(2) 천체망원경의 주요 부품들

1. 파인더 망원경

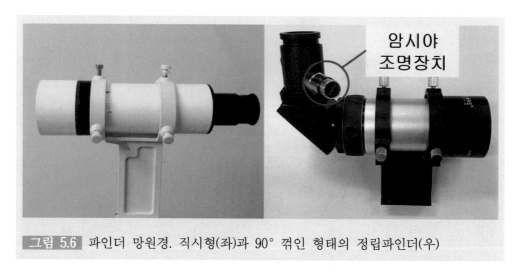

그림 5.6 파인더 망원경. 직시형(좌)과 90° 꺾인 형태의 정립파인더(우)

파인더 망원경은 주 망원경 보다 배율이 낮은 광시야 망원경이다. 관습적으로 그냥 파인더라고 부르기도 한다. 주 망원경은 배율이 높고 시야가 좁기 때문에 관측자는 어두운 관측대상을 쉽게 찾기 위해 파인더 망원경을 사용하게 된다. 파인더 망원경의 시야에는 대상을 중심에 놓을 수 있도록 십자로 된 선이 있다.

일반적인 직시형 파인더 망원경은 상하좌우가 뒤집힌 도립상으로 관측된다. 직시형 파인더는 접안부의 위치가 낮아서 천체를 찾을 때 자세잡기가 매우 힘들다. 파인더 망원경 중에는 접안부가 90° 꺾인 형태로 상이 정립으로 보이는 것도 있다. 이런 파인더는 하늘을 향해 밝은 천체를 직접 수동으로 맞춰 넣을 때는 방향이 90° 꺾여 있어서 별을 찾기에 불리하지만, 파인더에서 보이는 별을 이용해 성운, 성단, 은하처럼 더 어두운 천체를 찾을 때는 편리하다. 90° 꺾인 형태의 정립 파인더를 사용할 때는 등배 파인더를 추가로 설치하여 함께 사용하면 매우 편리하다.

2. 등배파인더

그림 5.7 등배파인더. 텔라드(좌)와 도트파인더(우)

등배파인더는 망원경이 아니다. 적색 레이저를 이용해서 맨눈으로 하늘을 볼 때 같
은 방향으로 시야에 작은 점이나 동심원이 나타나도록 하여 점이나 동심원의 중심에
원하는 천체를 정렬할 수 있도록 만들어진 부품이다. 점으로 보이는 등배파인더를 도
트파인더라고 부르며, 동심원으로 보이는 등배파인더는 텔라드(Telrad)라고 부른다.
텔라드는 상품의 이름인데, 등배파인더로서 사용하기 편해 많은 사람들이 애용하면서
고유명사처럼 불려지고 있다.

3. 접안렌즈

그림 5.8 접안렌즈 좌측은 튜브 직경 2인치, 우측은 1.25인치 규격

접안렌즈는 주 망원경의 렌즈나 거울에 의해 맺힌 상을 눈으로 볼 수 있도록 해 주는 렌즈이다. 접안렌즈는 1개의 볼록렌즈를 사용하는 것이 아니라 2개 이상 여러 개 렌즈가 조합되어 만들어져 있다. 이렇게 조합을 하는 이유는 더 넓은 시야를 더 선명하게 관측하기 위한 것이다. 접안렌즈는 망원경과 연결되는 통의 직경에 따라 1.25인치와 2인치 두 가지 규격의 접안렌즈가 널리 사용되고 있다. 이 규격은 대부분의 천체망원경 제조사에서 사용하고 있어서 동일한 망원경에 다양한 접안렌즈를 바꿔가며 사용할 수 있다. 2인치 접안렌즈는 1.25인치에 비해 무겁고 비싸다는 단점이 있다. 그러나 저배율로 관측하기 위해 초점거리가 긴 접안렌즈를 사용하는 경우에는 1.25인치 접안렌즈는 2인치에 비해 구조적으로 넓은 겉보기 시야를 확보하기 어렵다. 초점거리가 긴 망원경으로 넓은 시야를 관측하려면 초점거리가 긴 2인치 접안렌즈를 사용하여야 한다. 고배율을 관측할 때는 가볍고 저렴한 1.25인치를 사용해도 충분하다. 대부분의 망원경의 접안부는 2인치를 장착할 수 있도록 하고, 2인치를 1.25인치로 변환할 수 있는 변환어댑터를 사용하도록 되어 있다.

4. 다이아고날(diagonal)

그림 5.9 1.25인치 다이아고날

　다이아고날은 직각프리즘이나 거울을 이용하여 접안부에서 광로를 90° 꺾어주는 장치이다. 다이아고날을 이용하면 고도가 높은 천체를 관측할 때 매우 편리하다. 다이아고날의 방향을 돌려가며 사용하면 키가 큰 성인부터 키가 작은 어린아이까지 불편함이 없이 관측할 수 있다. 이 기능은 천문과학관이나 대중 천체관측회 행사처럼 어린 아이와 성인이 같이 천체관측을 하는 경우에 매우 편리하다.

　다이아고날은 거울과 같은 원리이기 때문에 관측대상의 방향이 좌우 반전되어 보인다. 원래 천체망원경을 통해 천체를 보면 상하좌우가 바뀐 도립상으로 보인다. 다이아고날을 사용하면 상하는 뒤집어진 상태지만 좌우는 반전되어 원래 방향이 된다. 이때 다이아고날의 방향을 돌리면 화면의 방향이 같이 돌아가기 때문에 상하좌우의 개념이 의미가 없어진다. 시야의 방향을 확인하려면 망원경을 동서남북 방향으로 조금씩 움직여가며 확인해야 한다. 이때 관측되는 천체를 성도와 비교하려면 좌우가 반전되게 출력한 성도가 있으면 좋다.

5. 바로우렌즈와 리듀서

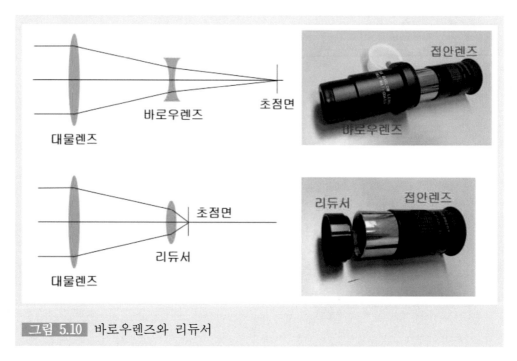

그림 5.10 바로우렌즈와 리듀서

주어진 망원경의 초점거리를 늘리거나 줄이고 싶을 때는 바로우렌즈나 리듀서를 사용하면 된다. 바로우렌즈는 오목렌즈로 되어 있는데, 초점거리를 연장해 주는 역할을 한다. 바로우렌즈나 리듀서는 초점면 보다 조금 앞에 설치하게 되는데, 제 성능이 나오기 위해서는 제품 제조사에서 권장하는 위치에 놓아야 한다. 바로우렌즈는 경통에 꽂을 수 있도록 1.25인치 또는 2인치 규격으로 나온다(그림 5.10). 그리고 경통의 반대편에는 접안렌즈를 꽂을 수 있도록 되어 있다. 바로우렌즈는 확대율에 따라 2x, 3x, 4x 등 다양한 제품을 구할 수 있다.

리듀서는 볼록렌즈로 초점거리를 줄여주는 역할을 한다. 바로우렌즈와는 반대로 볼록렌즈로 구성되어 있다. 리듀서 확대율 0.7x, 0.8x등으로 표기되어 있다. 생긴 외형도 바로우렌즈처럼 접안렌즈와 경통 사이에 통으로 끼우는 방식보다는 접안렌즈의 통 내부에 나사로 고정하거나 촬영을 위한 T링 앞에 부착하는 방식을 많이 사용한다.

(3) 망원경의 설치

1. 삼각대 설치

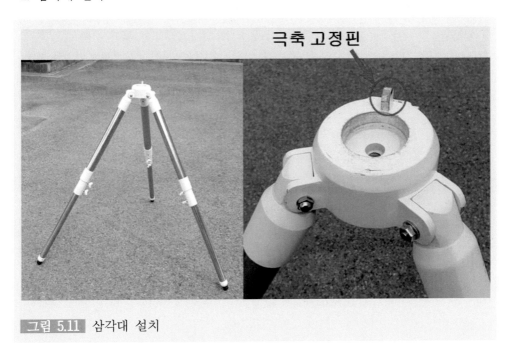

그림 5.11 삼각대 설치

삼각대는 지면의 굴곡이 있어도 안정적으로 망원경을 설치할 수 있기 때문에 이동식 망원경에 가장 흔히 사용되는 방식이다. 보통 2단으로 접을 수 있도록 되어 있는 경우가 많다. 길이가 긴 안시용 굴절망원경은 조금 높게 설치하면 좋으며, 경통의 앞단에서 관측하는 뉴튼식 반사망원경은 삼각대를 조금 낮게 설치한다. 적도의식 망원경은 극축의 고도와 방위각을 조절할 수 있다. 삼각대를 설치할 때 방위각 조절 나사와 맞물리는 극축 고정핀이 북쪽으로 향하도록 설치한다. 극축 고정핀이 있는 방향으로 많은 하중이 가해지기 때문에 안정감 있는 망원경 설치를 위해 삼각대의 세 발중 한 개가 북쪽으로 놓이는 것이 일반적이다. 그래서 극축 고정핀은 삼각대 중 한개의 윗부분에 있다. 위도가 낮은 지역에서 설치하면 적도의의 구조적인 문제로 망원경의 균형추가 삼각대에 닿을 수 있다. 이런 경우를 대비해서 안정성을 포기하고 극축 고정핀이 삼각대와 삼각대 사이에 설치할 수 있도록 제작된 모델도 있다.

2. 적도의 가대 설치

극축 고정핀 삽입부

삼각판

중앙 나사

적도의 고정나사

그림 5.12 적도의 설치

삼각대 설치가 끝나면 적도의 가대를 올린다. 일반적인 독일식 적도의 가대는 삼각대 하단에서 조이는 나사가 있다. 극축 고정핀이 삽입될 수 있도록 방향을 잡고 적도의 본체를 삼각대 위에 올린다. 그 다음에는 적도의 고정나사를 이용하여 적도의 본체를 고정한다. 마지막으로 균형추를 연결할 수 있는 추봉과 추 그리고 미동나사를 부착한다. 전동식인 경우에는 전원과 컨트롤러를 연결한다.

3. 경통 설치와 균형 맞추기

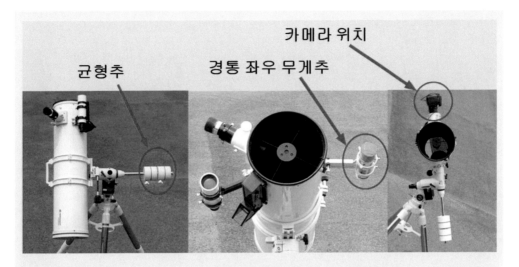

그림 5.13 경통 균형 맞추기. 좌측은 균형추와 경통의 균형을 잡는 사례, 중앙과 우측은 경통의 좌우 균형 맞추는 사례. 사진의 경통은 Bresser사의 NT-203 반사망원경

적도의에 경통을 올리고 고정 시킨다. 이후 파인더, 다이아고날, 접안렌즈를 장착한다. 경통설치가 끝나면 균형을 맞춘다. 균형을 맞추기 전에는 파인더, 접안렌즈와 같이 관측 시 사용하게 될 장비를 모두 설치하고, 초점을 맞춘 뒤에 조정하는 것이 좋다. 균형을 맞추는 방향은 3가지인데 동서방향, 남북방향, 좌우방향이 있다. 먼저 남북방향에 해당하는, 경통의 앞뒤 균형을 맞춘다. 이 방향의 균형은 경통밴드를 풀어서 경통을 앞뒤로 움직이는 방법과 경통밴드와 가대 사이의 고정위치를 움직이는 방법이 있다. 경통의 앞뒤 방향의 균형이 맞았으면 두 번째로는 동서 방향의 균형을 맞춘다. 이를 위해 경통과 균형추를 수평으로 나란히 두고, 균형추를 움직여가며 맞춘다. 마지막으로 경통을 천구의 북극으로 향하게 하여 경통의 좌우 방향의 균형을 맞춘다. 망원경을 많이 사용해 본 사람들도 이 방향은 간과하는 경우가 많은데, 경통 좌우 방향의 균형이 맞지 않으면 망원경이 향하는 방향에 따라 균형의 양상이 달라진다. 특히 뉴튼식 반사망원경은 특성상 파인더와 접안렌즈 등이 경통의 한쪽 측면으로 돌출되어 있다. 이 경우 경통의 좌우 균형을 맞추려면 경통의 측면 돌출부를 균형추의 반대쪽에 놓이게 하면 된다. 그림 5.13의 우측 그림처럼 사진촬영을 하는 경우

에는 이 방법이 유용하게 사용될 수 있다. 뉴튼식 반사망원경으로 안시관측을 할 때는 이런 방법을 쓸 수 없기 때문에 그림 5.13의 가운데 그림처럼 접안부와 파인더 반대편에 인위적으로 무게추를 설치하면 된다.

4. 극축 정렬

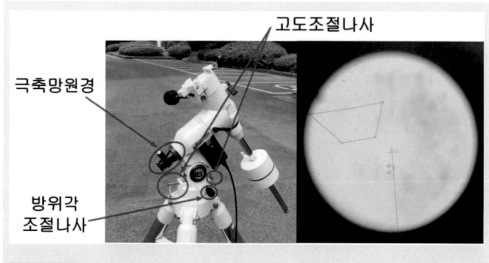

그림 5.14 극축 맞추기. 좌측은 극축망원경과 조절나사의 위치, 우측은 극축 망원경 시야에서 보이는 극망

일반적인 적도의식 망원경은 적경방향의 회전축에 극축망원경이라고 불리는 작은 망원경이 내장되어 있다. 보급형 망원경 중에는 극축망원경을 추가로 구입해서 설치해야 하는 경우도 있다. 망원경의 극축을 정렬하기 위해서는 극축망원경의 중심에 천구의 극을 넣으면 된다. 북극의 경우는 북극성이 천구 북극 근처에 있기 때문에 북극성을 이용하면 극축을 정렬할 수 있다. 북극성이 정북에서 약간 떨어져 있기 때문에 날짜와 시간에 따라 천구 북극에 대한 위치가 달라진다. 그림 5.14의 우측 그림에 극축망원경 시야에 보이는 극망이 있다. 이 그림에서 시야 중심의 십자표시 조금 아래 위치에 있는 작은 원이 북극성의 위치를 나타낸다. 극망의 좌측상단의 사각형은 남반구에서 남극을 맞출 때 사용하는 것이다.

천구 북극에 대한 북극성의 방향은 스텔라리움과 같은 스마트폰 앱으로 확인하여 찾을 수 있다. 극축망원경으로 보면 상하좌우가 반전되어 보이기 때문에 스텔라리움에 현재 날짜, 시간에 있는 북극성의 방향과 반대 방향으로 북극성을 맞추면 된다. 가대의 적경을 풀어서 동서로 돌리면 극축망원경이 회전하면서 극망의 방향도 같이 회전한다. 이렇게 극망을 회전시켜서 극망에서 북극성의 방향을 맞춘다. 예를 들어, 현재 천구북극에 대해 북극성이 2시 방향에 있다면, 극축 망원경의 극망 북극성 방향을 8시 방향으로 놓이도록 적경을 돌려서 셋팅한다. 그리고 먼저 육안으로 북극성을 확인하고 가대 전체를 움직여 극축망원경 시야에 북극성이 들어오게 한다. 시야에 북극성이 들어오면 적도의의 고도와 방위각 나사를 조절하여 극망의 북극성 위치로 북극성을 옮기면 극축 정렬이 완료된다.

5. 파인더 정렬

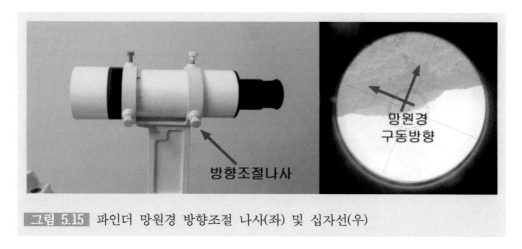

그림 5.15 파인더 망원경 방향조절 나사(좌) 및 십자선(우)

파인더 망원경은 주 망원경과 같은 방향이 되도록 정렬 한다. 이것은 파인더 십자선의 정 중앙이 향하는 방향과 주 망원경의 시야 중심이 향하는 방향이 일치되도록 정렬하는 일이다. 일반적인 파인더 망원경은 그림 5.14처럼 경통의 방향을 조정할 수 있는 방향조절나사가 있다. 그리고 시야를 가로지르는 십자선이 있으며, 십자선에 조명을 비추고 그 밝기를 조절하는 암시야조명장치(그림 5.6 우측 그림)가 있는 경우도 있다. 파인더를 정렬할 때는 천체를 이용하기보다 밝을 때 지상의 물체를 이용하여 정렬하는 것이 편리하다. 이렇게 할 때는 망원경에 자동추적장치를 끄고 해야 한다. 먼저 찾기 쉬운 대상을 주 망원경의 중앙에 넣는다. 그 다음으로 파인더의 방향조절나사를 조작하여 주 망원경 시야의 중심에 들어온 대상을 파인더 십자선 중앙에 놓이도록 한다.

이렇게 정렬 된 파인더 망원경으로 천체를 찾아 넣다보면 십자선의 방향과 망원경의 이동 방향이 다르면 대상을 찾아 넣을 때 불편할 수 있다. 그래서 망원경을 처음 설치할 때 십자선의 방향이 망원경의 구동방향과 나란해지도록 미리 정렬하는 것이 좋다. 십자선의 방향을 정렬할 때에는 파인더 망원경을 고정하는 모든 나사를 약간 푼 다음에 파인더 망원경 전체를 회전을 시켜 망원경 구동방향과 일치시키면 된다.

그러나 이렇게 십자선의 방향을 정렬해 두어도 경통밴드를 풀고 주경의 방향을 돌리면 십자선의 방향도 같이 틀어진다. 굴절망원경인 경우에는 파인더 망원경을 항상 무게추의 반대방향에 두면 큰 문제가 없지만, 뉴턴식 반사망원경을 안시관측에 사용하는 경우에 대상의 방향에 따라 경통밴드를 풀고 접안부의 방향을 조절해야 하는 경우에는 매번 다시 맞춰줘야 하는 불편함이 있다. 이런 경우에는 접안부 회전 장치로 십자선의 방향을 쉽게 회전시킬 수 있는 파인더 망원경이 있으면 유용하다. 그림 5.6의 우측사진에 보인 정립파인더는 접안부를 회전시켜 십자선 방향을 쉽게 돌릴 수 있는 구조로 되어 있다.

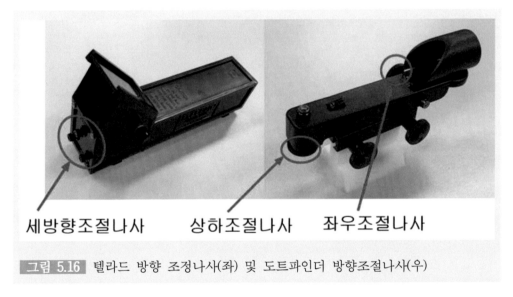

세방향조절나사   상하조절나사   좌우조절나사

그림 5.16 텔라드 방향 조정나사(좌) 및 도트파인더 방향조절나사(우)

등배 파인더의 경우에는 적색 레이저의 방향을 조절하면 되기 때문에 파인더 전체를 움직이는 방식이 아니라 조절나사를 돌려서 조절하는 방식으로 되어 있다. 그림 5.16에 있는 텔라드는 파인더 뒷면에 3개의 조절나사가 있어서 이 나사를 돌리면 동심원의 방향을 조절할 수 있다. 그리고 도트파인더는 상하, 좌우 조절나사를 돌려서 레이저 점의 위치를 정렬할 수 있다.

(4) 망원경의 조작

1. 파인더를 이용한 밝은 천체 찾기

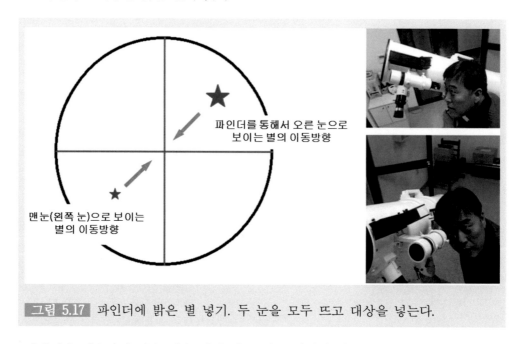

파인더를 통해서 오른 눈으로 보이는 별의 이동방향

맨눈(왼쪽 눈)으로 보이는 별의 이동방향

그림 5.17 파인더에 밝은 별 넣기. 두 눈을 모두 뜨고 대상을 넣는다.

　망원경을 이용하여 밝은 별을 찾아 넣는 것은 망원경 사용의 가장 기초적인 과정이다. 밝은 별 찾기 방법을 익히면 수동으로 달, 행성, 육안으로 보이는 밝은 딥스카이 천체 등을 관측할 수 있다. 자동망원경을 사용할 때에도 망원경 초기화과정에 수동으로 밝은 별을 망원경 시야 중심에 넣는 과정이 있다. 망원경 사용에 익숙하지 않은 초보자의 경우에는 매우 밝은 별이라도 찾아 넣기 어려울 수 있다. 이 경우에는 달이 떠 있을 때 달을 망원경에 넣어보는 것이 좋겠지만, 달이 없다면 지상에 있는 건물, 교회첨탑, 전신주 등을 맞춰보는 것도 좋다.

　망원경은 적경, 적위 방향을 조이고 있느 클램프를 풀면 자유롭게 움직일 수 있도록 되어 있다. 먼저 적경, 적위 클램프를 풀고 망원경을 움직인 다음에 보고 싶은 대상을 시야에 넣고 고정하면 된다. 너무 정확하게 넣으려 하지 말고 대략적으로 들어오면 클램프를 고정하고 미동나사를 이용하여 정중앙에 넣으면 된다. 일반적인 파인더 망원경은 상하좌우가 반전되어 보이기 때문에 별을 넣을 때는 반대방향으로 움직여야 한다. 쉽게 찾으려면 그림 5.17에서처럼 양쪽 눈을 모두 뜨고 한쪽 눈은 하늘의 별을 응시하고 다른 한 눈으로는 파인더 시야에 들어온 별을 응시하면서 두 별이 같은 지점에 놓일 때까지 망원경을 움직이면 된다. 밝은 별을 찾아 넣을 때 텔라드나 도트파인더와 같은 등배율 파인더를 사용하면 이보다 훨씬 더 쉽게 찾을 수 있다.

2. 스타 호핑법

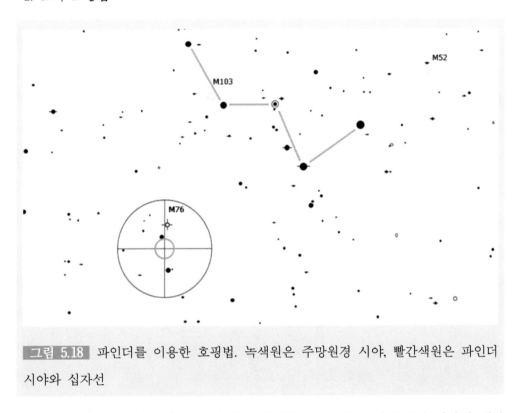

그림 5.18 파인더를 이용한 호핑법. 녹색원은 주망원경 시야, 빨간색원은 파인더 시야와 십자선

파인더 망원경을 이용하면 넓은 영역을 확인할 수 있다. 그림 5.18의 빨간색 원이 흔히 사용하는 구경 50mm 파인더 망원경 시야에 해당한다. 이 성도에 나온 별들 중에 도심의 밤하늘에서 맨눈에 보이는 별은 카시오페이아자리를 구성하는 5개의 별 정도이다. 그러나 맨눈으로는 안보이더라도 파인더 망원경으로 보면 이 성도에 표시된 별들은 대부분 확인이 가능하다. 별은 점광원이기 때문에 도심에서 망원경으로 하늘을 관측하면, 별은 밝아지고 하늘은 어두워지는 효과가 있다. 망원경의 구경이 크고 배율이 높을수록 이 효과가 높아진다. 그림 5.18에서 M76으로 표시된 천체는 크기

가 작고 어두운 행성상 성운이다. 만약 이 성운을 관측하고 싶다면 파인더 망원경으로 카시오페이아에 있는 5개의 별 중 하나를 넣는다. 그 뒤 성도에 있는 어두운 별들을 하나씩 비교해가면서 M76부근의 하늘로 망원경을 이동시킨다. M76부근의 다른 별들을 확인하면서 M76이 있는 위치를 십자선 중심에 놓으면 된다. 그림 5.18에서 녹색원이 주망원경의 시야에 해당되기 때문에 이 크기 정도의 오차 내에 M76을 넣는 것은 어렵지 않다. 이런 방법으로 파인더 망원경으로 별을 확인해가며 어두운 천체를 찾는 방법을 스타호핑법이라고 부른다. 스타호핑법은 메시에마라톤[1]처럼 수동으로 천체를 찾는 안시관측에서 많이 사용된다. 그러나 자동망원경으로 천체를 찾아 촬영을 할 때 지향오차로 인해 사진에 원하는 대상이 들어오지 않을 때에도 유용하게 사용할 수 있는 방법이다.

그림 5.19 2017년 4월 1일 경남 산청에서 진행된 경남메시에마라톤

---

1) 춘분 전후 그믐에는 북반구에서 메시에 목록에 수록된 110개의 천체 중 하룻밤에 109개가 관측이 가능하다. 수동조작 망원경으로 이날 초저녁부터 아침까지 메시에 목록의 천체를 관측하는 행사를 메시에마라톤이라고 부른다.

제6장 사진과 카메라

    천체망원경을 사용하여 육안으로 천체를 관측하는 일도 즐거운 일이지만, 영상으로 담아 오래 보관하면서 다른 사람들에게도 그 감동을 전할 수 있다. 사진은 희미한 빛을 오랜 시간동안 담아서 눈에 보이지 않는 부분까지 촬영할 수 있다. 빛공해가 심한 도심에서도 천체용 필터를 사용하면 선명한 천체를 촬영할 수 있다. 예전에 카메라는 사용하기 까다롭고 비싼 가격으로 일부 전문가만 사용하였으나, 오늘날에는 스마트폰 속에 누구나 쉽게 사용할 수 있는 고성능 카메라를 보유하게 되었다. 이 장에서는 천체사진 촬영의 기초가 되는 사진과 카메라 및 천체용 필터에 대해 알아보기로 하자.

(1) 사진의 원리

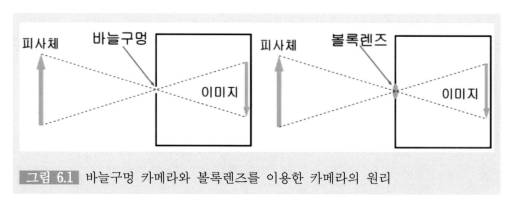

그림 6.1 바늘구멍 카메라와 볼록렌즈를 이용한 카메라의 원리

빛이 직진하는 성질로 박스의 구멍을 통해 여러 방향에서 들어 온 빛은 사물의 형태를 만들게 된다. 사진이 발명되기 전에 이 원리를 이용하여 만든 카메라 옵스큐라(camera obscura)라는 장치가 있었다. 카메라 옵스큐라는 라틴어로 어두운 방이라는 뜻이다. 그림을 그리는 화가들은 이 장치를 이용해 어두운 방에 맺힌 이미지를 따라 그림을 그렸다고 한다. 초기의 카메라 옵스큐라는 렌즈가 없는 바늘구멍 카메라 형태였는데, 근대에 와서 17세기에 이탈리아 수학자였던 제롤라모 카르다노(Gerolomo Cardano)가 렌즈를 부착하게 되었다.

렌즈를 부착하게 되면 초점면에 바늘구멍카메라보다 밝고 선명한 도립실상이 맺히게 된다. 초기에는 이 영상을 따라 화가들이 그림을 그렸으나, 과학자들은 빛에 반응하는 물질을 이용해서 자동으로 그림을 그리는 방법을 고민하게 되었다. 1817년 프랑스의 발명가인 니세포르 니엡스(Nicephore Niepce)는 백랍[1]판에 역청[2]을 코팅한 후 빛에 노출시키는 방식으로 최초의 사진을 발명하였다. 이 사진의 원리는 빛을 받은 역청이 굳어지는 성질을 이용한 것이다. 초기의 사진은 감도가 매우 떨어져서 실용성의 한계가 있었으나, 기술의 발전으로 수십 년 만에 순간을 영상으로 담을 수 있는 기술을 만들게 되었고, 20세기 초에는 영화를 촬영할 수 있는 수준으로 발전하였다.

---

1) 주석과 납의 합금
2) bitumen, 아스팔트의 일종

  필름 카메라는 사진이 발명되고 100년 이상 사용되었다. 눈으로 본 것을 정확하게 기록할 수 있다는 장점으로 사회전반에 널리 사용되어 오늘날의 현대 문명을 만드는 데 없어서는 안 될 중요한 역할을 해 왔다. 초기의 카메라는 가격이 비싸고 사용법이 까다로워서 전문 사진작가들만 사용하였다. 그러나 기술의 발전으로 가격은 점차 내려가고 사용법도 쉬워지면서 우리나라에도 1990년대에는 누구나 쉽게 사진을 찍을 수 있으면서도 저렴한 카메라가 많이 보급되었다. 이렇게 현대문명을 이끌던 필름카메라는 2000년대에 들어오면서 디지털 카메라의 발전과 함께 점차 사용자가 줄다가 2010년대 이후에는 스마트폰 카메라의 발전으로 극히 아날로그의 정취를 느끼려는 일부 애호가들 외에는 거의 사용하지 않게 되었다.

(2) 필름카메라

그림 6.2 필름 크기에 따른 카메라의 종류. 위쪽은 좌측부터 소형, 중형, 대형카메라, 아래쪽은 좌측부터 소형, 중형, 대형필름의 크기 비교

필름의 크기는 사진의 품질에 가장 큰 영향을 미친다. 필름이 클수록 좋은 품질의 사진을 찍을 수 있다. 그래서 전통적인 필름카메라는 필름 크기에 따라 소형, 중형, 대형으로 구분되었다. 소형 카메라는 필름의 폭이 24mm, 길이 36mm 필름에 촬영이 되는 카메라이다. 필름 카메라 시절에 가장 흔히 사용되던 카메라로 필름은 24매, 36매를 촬영할 수 있는 감겨있는 필름을 주로 사용하였다. 중형 카메라는 이보다 큰 필름을 사용하는 카메라로 필름의 폭이 6cm인 카메라이다. 필름에 촬영된 가로의 길이에 따라 다양하게 구분했는데, 가로가 7cm인 67카메라가 가장 많이 사용되었다. 중형 카메라는 67외에도 가로가 45mm인 645카메라, 가로가 6cm인 66카메라, 가로가 9cm인 69카메라, 가로가 12cm인 612카메라 등이 있었다. 대형 카메라는 큰 시트 필름을 1장씩 사용하는 방식의 카메라인데, 세로 4인치, 가로 5인치인 45카메라가 가장 흔히 사용되었고 이보다 큰 필름을 사용하는 카메라도 있었다.

필름카메라를 사용하던 시절에 가장 많이 사용되던 소형카메라는 크게 두 가지 종류가 있었다. 그중 한 가지는 렌즈가 분리되지 않는 형태로 렌즈에 셔터가 있는 렌즈셔터식 카메라가 있었다. 이 방식의 카메라는 사진이 촬영되는 방향과 뷰파인더로 확인하는 방향이 달라서 가까운 대상을 촬영할 때는 원하는 위치를 촬영하기 어려운 구조로 되어 있었다. 렌즈셔터식 카메라는 비교적 저렴한데다 가볍고 사용법이 쉬워서 일반인들이 주로 사용하였다. 다른 한 가지는 거울과 펜타프리즘3)이 들어 있어서 렌즈교환이 가능한 카메라이다. 이 카메라는 뷰파인더로 보는 장면을 사진에 담을 수 있었는데, 한 개의 렌즈로 들어온 빛을 거울로 빛을 반사하는 방식이라는 의미로 SLR4)카메라라고 불렀다. 당시에는 주로 사진기자나 전문 사진가들은 SLR카메라를 사용했다.

---

3) 카메라 상단에 설치된 오각형의 프리즘으로 렌즈를 통해 들어온 빛을 상하좌우를 반전시켜 뷰파인더로 보내주는 역할을 한다.
4) Single Lens Reflex의 약자

(3) 디지털 카메라

그림 6.3 이미지 센서의 크기에 따른 DSLR 카메라의 종류. 좌측은 크롭센서, 우측은 풀프레임센서

디지털 카메라는 필름 대신 이미지 센서를 사용하여 디지털 영상을 메모리에 저장하는 카메라이다. 디지털 카메라는 1990년대 후반에 보급되기 시작하였다. 당시에는 화질이 나쁘고 해상도가 떨어졌지만 필름과 사진인화에 대한 비용이 없어진데다, 당시 PC의 보편화로 사진의 보관도 쉬워져서 빠르게 보급되었다. 초기에는 렌즈와 바디가 일체형인 자동카메라 방식의 디지털 카메라가 주로 많이 보급되었다. 그러나 기존의 SLR카메라를 사용하던 전문사진가들이 SLR카메라에서 사용하던 고가의 렌즈를 계속 사용하기를 원했다. 이 수요에 따라 SLR카메라의 렌즈를 사용할 수 있는 렌즈교환식 카메라인 DSLR[5]카메라가 등장하였다.

초기의 DSLR카메라는 천만 원이 넘는 고가임에도 불구하고 사진의 품질이 필름에 비해 그다지 좋지 않아서 극히 일부의 사용자들만 사용하였다. 또한 기술의 한계로 이미지 센서를 기존의 소형카메라 필름 크기로 만드는 것이 매우 어려웠다. 그래서 초기에는 소형카메라 필름 면적의 절반 정도 크기의 이미지 센서를 사용한 DSLR카메라가 주류를 이루었다. 이렇게 작은 이미지 센서를 탑재한 DSLR카메라는 크롭센서 DSLR카메라로 분류되어 오늘날까지도 보급형 DSLR카메라로 많이 사용되고 있다. 이

---

5) Digital Single Lens Reflex의 약자

후 급격한 기술의 발전으로 가격은 떨어지고 이미지 센서의 크기는 소형카메라의 필름 크기까지 커지게 되었다. 이렇게 커진 이미지 센서가 탑재된 DSLR카메라가 풀프레임 DSLR카메라로 분류된다. 그림 6.3에 크롭센서와 풀프레임 DSLR카메라의 이미지 센서를 비교하였다.

　그런데 디지털 카메라는 액정으로 피사체를 볼 수 있기 때문에 SLR카메라에서는 반드시 필요했던 거울과 펜타프리즘은 필요 없다. 그래서 렌즈교환 방식이지만 거울과 펜타프리즘을 없애면 부피와 무게를 줄여 가볍고 편리하게 사용할 수 있다. 이런 개념으로 등장한 카메라를 미러리스 카메라라고 부르는데, 그림 6.4에 DSLR카메라와 미러리스 카메라를 비교했다. 이 그림에 나온 DSLR카메라는 크롭센서 카메라이고, 미러리스 카메라는 풀프레임 카메라인데도 불구하고 미러리스 카메라가 훨씬 더 작고 가볍다.

그림 6.4 DSLR 카메라(좌)와 미러리스 카메라(우)

(4) 카메라의 렌즈

렌즈교환 식 카메라는 다양한 렌즈를 바꾸어 사용할 수 있다. 렌즈를 교환하는 가장 큰 이유는 초점거리에 따라 촬영할 수 있는 화각이 다르기 때문이다. 렌즈는 초점거리에 따라 초점거리가 짧은 광각렌즈, 적당한 초점거리의 표준렌즈, 초점거리가 긴 망원렌즈가 있다. 광각렌즈는 초점거리가 짧아서 상이 작게 맺히기 때문에 같은 크기의 이미지 센서를 사용하더라도 더 넓은 시야를 촬영할 수 있다. 그래서 넓은 시야를 촬영할 수 있는 렌즈라는 뜻으로 광각렌즈라는 이름이 붙었다. 표준렌즈는 초점거리가 적당해서 사진을 촬영해서 보면 사람들이 일상적으로 보는 풍경을 확대하거나 축소하지 않은 평범한 크기로 보이는 렌즈이다. 그리고 망원렌즈는 초점거리가 길어서 초점면에 크게 확대된 이미지가 맺힌다. 그래서 망원렌즈로 사진을 촬영하면 마치 망원경으로 본 것 같이 크게 확대된 사진이 나오게 된다.

그림 6.5 렌즈교환 식 카메라의 렌즈. 상단의 좌측은 20mm광각렌즈, 상단의 중간은 50mm 표준렌즈, 상단의 우측은 180mm망원렌즈, 하단의 좌측은 55-250줌렌즈로 55mm에 맞춘 것, 하단의 우측은 55-250줌렌즈로 250mm에 맞춘 것.

사진촬영 시 사진작가의 의도에 따라 광각, 표준, 망원렌즈를 사용하게 되는데 매번 렌즈를 갈아 끼우기 불편해서 만들어진 렌즈가 줌 렌즈이다. 줌 렌즈는 사용자가 렌즈의 초점거리를 조절할 수 있다. 초점거리의 조절범위를 매우 크게 하면 매우 편리하게 사용할 수 있지만 사진의 화질 저하가 올 수 있다. 줌렌즈는 초점거리를 변동할 수 있는 범위에 따라 광각 줌, 표준 줌, 망원 줌렌즈로 나뉜다. 크롭센서의 경우 초점거리 18mm ~ 55mm, 풀프레임의 경우 초점거리 24mm ~ 70mm가 표준 줌렌즈에 해당하고, 이보다 작은 범위는 광각 줌, 크면 망원 줌이라고 생각하면 된다.

그림 6.6 렌즈의 초점거리에 따른 화각의 차이. 사진은 울산전파천문대의 모습으로 풀프레임 미러리스 카메라(소니 A7S)에 좌측부터 20mm, 50mm, 180mm의 초점거리를 가진 렌즈로 촬영한 것이다.

(5) 사진의 밝기와 조절 3요소

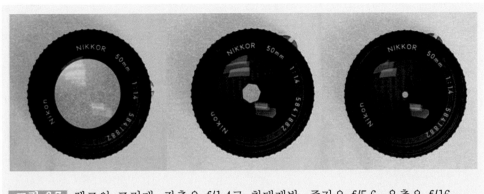

그림 6.7 렌즈의 조리개. 좌측은 f/1.4로 최대개방, 중간은 f/5.6, 우측은 f/16

사진을 촬영할 때 빛이 너무 많이 들어오면 사진이 하얗게 타 버리고 빛이 너무 적게 들어오면 검게 나와서 형체를 알아보기 어렵게 된다. 빛의 양을 적당히 들어오게 조절하는 것은 매우 중요하다. 사진의 밝기를 조절 하는데는 조리개, 셔터속도, 감도 세 가지가 있다.

조리개는 렌즈의 구경을 조절하는 장치를 말하는데, 조리개를 조이면 빛이 적게 들어온다. 그림6.7에 조리개를 조절한 렌즈의 모습이다. 수치는 렌즈의 초점거리를 조리개의 구경으로 나눈 값으로 관습적으로 f/숫자로 표시한다. 밝은 순서대로 밝기가 절반 씩 줄어드는 값은 f/1.0, f/1.4, f/2.0, f/2.8, f/4, f/5.6, f/8, f/11, f/16, f/22이다. 렌즈를 통해 들어오는 빛의 양은 구경의 제곱에 비례하기 때문에 조리개 수치가 약 1.4배 커지면 광량은 절반이 된다. 밝기가 절반 또는 2배가 되는 간격을 1stop(또는 1step)라고 부르는데, 이 수치를 잘 기억해 두면 수동으로 노출을 조절할 때 많은 도움이 된다.

조리개 수치는 빛의 양을 조절할 때 외에도 피사계 심도가 달라지는 효과가 있다. 조리개를 열면 심도가 얕아지고, 조리개를 조이면 심도가 깊어진다. 여기서 심도가 얕다는 말은 초점을 맞춘 위치 외에는 흐릿해지는 현상을 말하고, 심도가 깊다는 말은 초점을 맞춘 위치 뿐 아니라 다른 거리에 있는 피사체도 어느 정도 선명하게 나온다는 말이다. 천체사진이나 천체망원경의 경우에는 촬영대상이 매우 먼 거리에 있는 천체이기 때문에 심도가 달라지지는 않는다. 그러나 초점비가 작은 밝은 망원경을 사용하는 경우에 초점 조절 시 섬세한 조정이 필요하며, 밤새 기온변화에 따른 경통의 수축 팽창 등의 원인으로 초점이 약간 틀어진 경우에 흐려지는 정도가 심해진다.

셔터는 빛을 가리는 막으로 적당한 시간동안 열었다가 닫는다. 셔터를 여는 시간이 짧을수록 빛이 적게 들어온다. 수치는 그냥 숫자로 표시하면 1/숫자 초이며, 숫자″로 표시하면 숫자에 해당하는 시간(초)이다. 관습적으로 사용하는 1stop 간격의 노출시간은 긴 노출부터 30″, 15″, 8″, 4″, 2″, 1″, 2, 4, 8, 15, 30, 60, 125, 250, 500, 1000, 2000, 4000, 8000 등이다. 그리고 셔터를 누르는 시간동안 계속 셔터를 개방하는 것을 B셔터라고 부른다.

감도는 필름이나 이미지 센서가 빛에 반응하는 정도를 나타낸다. 감도의 표기는 영문자 iso뒤에 숫자를 적어 표시하는데, 그 수가 클수록 민감하여 어두운 곳에서도 밝게 나온다. 필름 카메라 시절에는 iso100이 표준감도였는데, 이보다 수치가 작으면 저감도, 크면 고감도로 인식되었다. 1stop 간격으로 정리하면 iso100, iso200, iso400, iso800, iso1600, iso3200, iso6400, iso12800, iso25600, iso51200등이다. 고감도필름을 사용하면 어두운 곳에서도 조리개를 조이고 셔터속도를 줄여도 사진이 잘 나오게 할 수 있는 장점이 있는 반면에 입자라 거칠어져서 화질이 나빠진다. 필름시절에 사용하던 고감도 필름의 경우에는 빛에 반응하는 감광유제의 입자가 커서 마치 모래를 뿌린 듯한 거친 화질을 감수해야 했다. 디지털 카메라의 경우에는 고감도를 쓰게 되면 흐린 신호를 인위적으로 증폭을 하는 방식으로 감도를 높이기 때문에 촬영된 신호뿐 아니라 잡음도 같이 증가하게 된다. 그래서 어두운 천체사진을 촬영하더라도 감도를 무작정 높이기는 어렵다. 경험상 필름의 경우에는 iso400 정도만 되어도 iso100 보다 입자가 거칠어 대형 사진을 출력할 때는 신경이 쓰일 정도였다. 디지털 카메라의 경우에는 제품에 따라 다소 차이가 있으나, 2000년대 초에 나온 초기 DSLR카메라에 비해 최근에 출시되는 카메라는 고감도에 잡음이 훨씬 더 개량되어 iso3200까지도 사용하는데 큰 무리가 없다.

(6) 천체사진용 디지털 카메라

그림 6.8 일반 DSLR카메라로 촬영한 오리온 대성운(좌)과 적외선 차단 필터를 제거한 DSLR카메라로 촬영한 오리온 대성운(우).

우리가 평소 일반 사진을 촬영할 때 사용하는 디지털 카메라로 천체사진을 촬영하면 괜찮을까? 이에 대한 대답은 촬영은 가능하지만 성운을 촬영할 때 제대로 된 색을 얻기 어렵다는 것이다. 일반적으로 가장 많이 사용하는 카메라는 스마트폰 카메라뿐 아니라 앞에서 일반사진 전문가들이 사용하는 DSLR카메라를 사용해도 천체사진을 촬영하기에는 한계가 있다. 일반 카메라로 천체사진을 촬영할 때 크게 2가지 문제가 발생한다. 첫 번째는 붉은 색 성운을 촬영할 때 나타나는 색상의 문제이며, 두 번째는 장시간 노출이나 고감도를 사용할 때 발생하는 잡음 문제이다.

그림 6.9 DSLR카메라 적외선 차단 필터를 제거를 위한 분해

  디지털 카메라에서 빛을 받아들이는 이미지 센서는 CMOS[6]라고 불리는 센서가 사용된다. 이 센서는 우리 눈이 반응하는 파장 영역대 보다 좀 더 넓은 파장영역에 반응한다. 즉, 우리 눈에 보이지 않는 근적외선 대역의 빛에도 반응을 하게 된다. 디지털 카메라 제조사에서는 사진의 자연스러운 색상을 만들기 위해 적외선을 차단하는 필터를 이미지 센서 앞에 두게 되었다. 그런데 이 필터는 별이 발광성운의 붉은 색 빛에서 나타나는 H알파 방출선을 차단하게 된다. 그래서 붉은 성운의 색을 잘 표현하려면 적외선을 차단하는 필터를 제거해야 한다. 그림 6.8은 일반 DSLR카메라와 적외선 차단 필터를 제거한 DSLR카메라를 이용하고, 나머지 조건은 같이해서 촬영한 별탄생영역 M42의 사진이다. 우측 사진에서 성운의 붉은 색이 더 잘 나온 것을 알 수 있다. 일반 DSLR카메라를 이용해서 붉은 색 성운 사진을 촬영하려고 하면, 그림 6.9처럼 카메라를 완전히 분해하여 이미지 센서를 가리고 있던 적외선 차단필터를 제거하는 게 좋다. 그러나 이 과정은 매우 고난도 작업이라 비용을 지불하고 전문가에게 의뢰하기를 권한다.

---

6) Complementary Metal-Oxide-Semiconductor

일부 카메라 제조사에서는 천체사진에서 중요한 붉은 색의 H알파 방출선을 차단하지 않는 모델을 출시하기도 한다. 캐논사에서 출시한 20Da, 60Da, EOS-Ra등이 있고, 니콘사에서 출시한 D810a가 있다. 그러나 천체사진에 특화된 모델은 일반 모델보다 가격이 훨씬 비싸다.

일반 카메라로 천체사진을 촬영할 때 H알파 방출선 차단문제 외에도 장시간 노출에 따른 열잡음 문제가 있다. 행성이나 태양, 달 사진 외에 대부분의 천체사진은 짧아도 수초 이상의 장시간 노출을 해야 한다. 이 과정에서 열에 의해 발생한 열전자가 잡음으로 작용하여 화질이 나빠진다. 이 문제는 렌즈의 뚜껑을 덮어 카메라에 빛을 주지 않은 상태에서 얻은 암영상이라는 영상을 촬영하여 보정하는 방법이 있다. 이때 주변온도가 높거나 천체영상과 암영상 촬영 시 주변온도가 다르면 제대로 보정되지 않을 수 있다. 이 문제를 해결하려면 이미지 센서를 충분히 낮은 온도로 냉각하여 잡음을 낮추고, 일정한 온도를 유지하면서 암영상을 촬영하여 보정하면 된다. 2010년대에는 기존의 DSLR카메라를 개조하여 이미지 센서에 냉각장치를 달아 사용하려는 시도가 많았는데, 여러 가지 불편함으로 널리 사용되지는 않았다.

천체관측에 특화된 카메라는 CCD[7]센서를 사용하는 CCD카메라이다. CCD카메라는 빛에 반응하는 효율이 매우 높아서 개발 초기인 1990년대에도 많은 연구용 천문대에서 CCD카메라가 설치되어 운용되었다. 그러나 너무 비싼 가격으로 인해 초기에 일반인들은 거의 사용하기 어려웠다. 2000년대에 들어와서도 극히 일부의 천체사진가들이 CCD카메라를 사용하였다. 천체사진을 촬영할 때 DSLR카메라는 CCD카메라에 비해 열잡음이 심하고 적외선차단필터 제거를 위한 개조가 필요하다.

---

7) Charge Coupled Device로 전자결합소자라고 부르기도 한다.

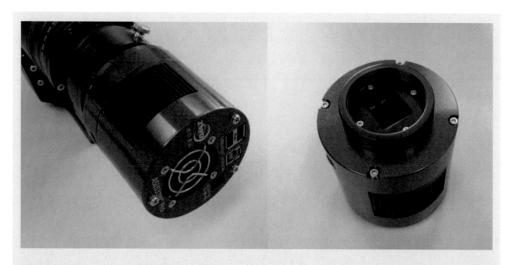

그림 6.10 냉각 CMOS카메라. 좌측은 망원경에 직초점으로 연결된 모습. 우측은 이미지 센서가 보이게 한 모습. 이 카메라는 ZWO사의 ASI533MC-Pro모델로 이미지 센서는 3008×3008 해상도로 크기가 11.31mm×11.31mm의 정방형이다.

최근에는 CCD에 비해 저렴하면서 천체관측에 특화된 냉각 CMOS카메라가 출시되어 천체사진촬영에 많이 이용되고 있다. 냉각 CMOS카메라는 연구용 CCD카메라처럼 이미지 센서를 일정하게 낮은 온도로 유지할 수 있도록 설계되어있다. 이 카메라는 CCD카메라에 버금가는 수준으로 빛에 반응한다. 냉각 CMOS카메라는 DSLR카메라처럼 CMOS센서를 사용하면서도 H알파 투과대역을 차단하지 않아 붉은 색 성운을 잘 촬영할 수 있다. 이런 천체사진용 냉각 CMOS카메라는 일반 DSLR카메라에서 제공되는 액정, 셔터, 기능 버튼 등 일반 사진을 위한 여러 기능들은 따로 없다. USB포트를 이용하여 컴퓨터에 연결하고 제조사에서 카메라를 제어하는 소프트웨어를 다운로드 받아 사용하거나, 와이파이 장치를 추가로 설치하여 휴대전화나 태블릿 PC에 소프트웨어를 인스톨하여 무선으로 카메라를 운용할 수 있다. 중국의 ZWO사에서 출시한 ASI-Air라는 와이파이를 이용한 무선 장비는 카메라에 비해 상대적으로 저렴한데다 기능의 편리성이 매우 뛰어나 많은 천체사진가들이 이용하고 있다. 이 와이파이 장비는 카메라 뿐 아니라 적도의, 오토가이드, 전동포커서, 필터 휠 등 여러 장비를 한 개의 소프트웨어로 통제가 가능하다. 그림 6.11은 마당에 망원경을 설치하고 와이파이로 망원경과 카메라를 연결하여 거실에서 관측하고 있는 모습이다.

그림 6.11 앞마당에 와이파이 장치를 연결한 망원경과 카메라를 태블릿 PC로 거실에서 관측하고 있는 모습

(7) 빛 공해와 천체사진용 필터

밤하늘에서 천체를 관측할 때 가장 문제가 되는 것은 도심의 빛 공해이다. 요즘에는 밤하늘을 밝히는 빛 공해로 인해서 도심에서는 별을 보기 매우 어렵다. 하지만 우리가 빛에 대해 이해하면 어느 정도 극복할 수 있는 방법을 찾을 수 있다.

빛을 프리즘으로 분해를 하면 다양한 색깔의 빛으로 분해할 수 있다. 태양이나 별처럼 뜨거운 물체에서는 무지개처럼 다양한 색깔이 연속적으로 보이는 연속 스펙트럼이 나타난다. 이에 비해 밤거리에서 볼 수 있는 네온등이나 수은등의 빛을 프리즘으로 분해하면 무지개와는 달리 특정한 색깔에서 빛이 나오는 것을 알 수 있다. 이것을 선 스펙트럼이라고 부르고 특정한 색깔에서 밝게 나오는 선을 방출선이라고 부른다. 가로등 속에 어떤 종류의 가스로 충전되어 있는지에 따라 방출선의 색깔이 달라진다.

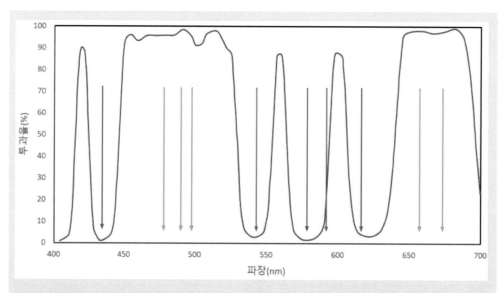

그림 6.12 광해방지필터의 투과함수(붉은 선, Optolong 사의 L-Pro 필터). 청색 화살표 위치는 가로등에서 나타나는 방출선, 녹색 화살표 위치는 성운의 방출선이 나타나는 위치

광해방지필터를 사용하면 관측을 방해하는 인공의 불빛에 의한 빛 공해를 줄일 수 있다. 광해방지필터는 가로등에서 나오는 방출선 파장의 빛은 통과시키지 않는 필터이다. 그림 6.12에서 흔히 사용되는 광해방지필터의 투과함수를 나타내었다. 그래프에서 투과함수에 해당하는 붉은 선을 보면, 성운의 방출선이 나타나는 파장대역은 대부분 통과시키고 가로등에서 나타나는 방출선이 있는 파장대역은 투과를 억제하는 것을 알 수 있다. 이런 원리로 광해방지필터를 사용하면 성운의 빛은 살리고 하늘을 더 어둡게 촬영할 수 있게 된다.

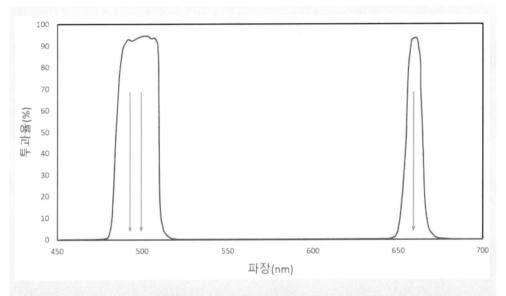

그림 6.13 이중투과 성운필터의 투과함수(붉은 선, Optolong사의 L-enhance 필터). 녹색 화살표 위치는 성운의 방출선이 나타나는 위치

밤하늘에는 별 외에도 다양한 천체가 존재한다. 그 중에서 대표적인 사례가 천체사진에서 화려한 모습을 자랑하는 방출성운이다. 방출성운은 마치 가로등에서 선 스펙트럼이 나오듯이 우주공간의 가스에서 특정한 색의 빛을 낸다. 붉은색으로 보이는 성운에서는 주로 전리된 수소에서 나오는 H알파 방출선(파장 656nm)이다. 이 외에도 OIII (500.7nm, 495.9nm), SII (672nm)방출선 등이 성운에서 유명한 방출선이다.

　　도심에서 어두운 성운을 좀 더 잘 촬영하고 싶을 때는 이중투과 성운필터를 사용한다. 그림 6.13에 이중투과 성운필터의 투과함수 사례를 보였는데, H알파와 OⅢ영역의 파장대역만 통과시키고 다른 파장대역의 빛은 차단하는 것을 볼 수 있다. 이런 이중투과 성운필터를 사용하면 도심의 빛 공해 뿐 아니라 별빛도 어두워지는 효과가 있다. 희미한 성운을 촬영할 때는 유용한 도구이지만 별을 촬영하거나 별이 주 광원인 성단이나 은하를 촬영할 때에는 크게 도움이 되지 못한다. 그림 6.14는 이중투과 성운필터 사용 전후의 사진이다. 필터 사용 후에 하늘이 어두워지고 별이 흐려지고 성운이 두드러지게 나온 것을 확인할 수 있다.

그림 6.14 빛 공해가 많은 장소에서 촬영한 오리온 대성운의 보정 이전 사진. 좌측은 필터 사용 전, 가운데는 광해방지필터 사용 후, 우측은 이중투과 성운필터 사용 후

제7장 천체사진 촬영법

    천체사진은 우주의 모습을 직관적으로 볼 수 있는 아름다운 예술작품이다. 천체를 사진으로 촬영하는 방법은 사물이나 인물을 촬영하는 방법과는 다르다. 지구자전에 의해 움직이는 천체를 촬영하여야 하고, 천체망원경을 이용할 수도 있고, 촬영대상이 매우 어두운 경우가 많다. 오늘날 망원경, 디지털 카메라와 영상처리 기술의 발전으로 천체사진의 품질은 나날이 좋아지고 있다. 이 장에서는 천체사진을 촬영하는 다양한 방법에 대해 다루어보려고 한다.

(1) 고정촬영법

1. 고정촬영의 개념

그림 7.1 고정촬영을 위해 삼각대에 카메라를 설치한 모습(좌). 무선릴리즈 연결 (우상), 유선 릴리즈 연결(우하)

고정촬영은 사진렌즈를 장착한 카메라를 삼각대에 올리고 고정한 채로 천체사진을 촬영하는 방식을 말한다. 태양이나 달을 제외한 다른 천체는 적어도 수초 이상의 노출시간을 줘서 촬영하여야하기 때문에 촬영하는 동안 카메라가 흔들려서는 안 된다. 그래서 카메라를 삼각대에 올려서 촬영하게 된다. 삼각대에 올렸다고 해도 셔터를 누르는 순간의 진동이 발생할 수 있다. 이 진동을 없애기 위해 카메라 본체에 손을 대지 않고 셔터를 누를 수 있는 릴리즈(release)라는 도구를 사용한다. 디지털 카메라의 릴리즈는 카메라 본체에 꽂는 방식으로 되어 있다. 릴리즈의 종류로는 간단하게 셔터만 눌러주는 방식과 시간, 촬영횟수, 촬영 간격 등을 설정할 수 있는 방식이 있다. 셔터만 눌러주는 방식의 릴리즈는 셔터를 눌러서 밀어주면 고정이 되어 손을 떼고도 계속 누르는 것과 같은 효과를 얻을 수 있다. 출시되는 디지털 카메라의 릴리즈는 카메라의 제조사와 모델에 따라 다르다. 그래서 릴리즈를 준비할 때 본인의 카메라에 맞는 모델을 확인해야 한다.

장시간 노출로 천체사진을 촬영하면 지구의 자전으로 인해 별들이 움직여서 별의 궤적이 나올 수도 있다. 고정촬영은 노출시간을 짧게 하여 별이 점으로 나오게 하는 점상 촬영과 노출시간을 길게 하여 일주운동방향으로 지나가는 별의 궤적을 촬영하는 일주사진이 있다.

2. 점상촬영

그림 7.2 은하수가 있는 기념사진

점상촬영은 지상의 풍경과 함께 밤하늘을 촬영할 때 유용하다. 밤하늘이 어두운 곳에 가면 은하수를 볼 수 있다. 그림 7.2는 보현산천문대 주차장에서 고정촬영법을 응용하여 은하수를 배경으로 기념사진을 촬영한 것이다. 이 사진은 삼각대에 은하수 방향으로 카메라를 설치하고 조리개 f/4.0, 감도 iso6400, 노출시간 8초로 노출을 한 것이다. 셔터가 열린 시간 동안 사람을 향해 적당한 밝기의 빛을 비추면 은하수의 모습을 배경으로 사람이 나오도록 촬영할 수 있다. 최근에 보현산천문대 주변이 밝아져서 이 사진에도 지평선 부근에서는 빛 공해에 의한 불빛이 보인다. 만약 더 어두운 곳이라면 은하수가 더 잘 나오게 촬영할 수 있다.

별을 점상으로 얻기 위해서는 사진으로 촬영한 별상의 크기보다 일주운동으로 별이 흐른 양이 더 작아야 한다. 별상의 크기는 망원경이나 렌즈의 분해능, 이미지 센서의 해상도, 렌즈의 수차 등과 관련이 있다. 조리개를 조이면 광학적 분해능이 나빠져서 별상이 커지고, 조리개를 넓히면 수차가 발생하여 별상이 커질 수 있다. 렌즈의 초점거리가 짧으면 이미지 센서 화소 크기에 대응하는 하늘의 각이 커져서 별상이 커진다. 이런 여러 복합적인 이유로 별을 추적하지 않고 동일한 노출시간을 준다면 망원렌즈보다 광각렌즈에서 더 긴 노출을 해도 점상의 별을 얻을 수 있다.

지구는 하루에 한 바퀴 자전하기 때문에 천구의 모든 천체들은 지구 자전축에 대해 하루에 한 바퀴씩 돈다. 이것을 시간으로 환산해 보면 1시간에 15°를 이동한다. 그런데 관측자 입장에서는 조금 다르다. 관측자는 천구의 중심에서 관측하기 때문에 천구의 적도 방향 천체는 1시간에 15°를 돌지만 천구의 북극에 가까이 가면 천구의 적도에서 보다 더 느리게 돈다.

그림 7.3은 렌즈의 초점거리와 관측대상의 적위를 다르게 하여 촬영한 별상을 비교한 것이다. 이때 상대적인 비교를 위해 노출시간을 모두 10초로 동일하게 하여 촬영하였다. 이 그림을 보면 렌즈의 초점거리와 관측대상의 적위에 따라 별이 어느 정도로 흘렀는지 확인할 수 있다. 이 자료를 참고 하면 점상촬영을 할 때 사용할 수 있는 노출시간의 한계를 정할 수 있다.

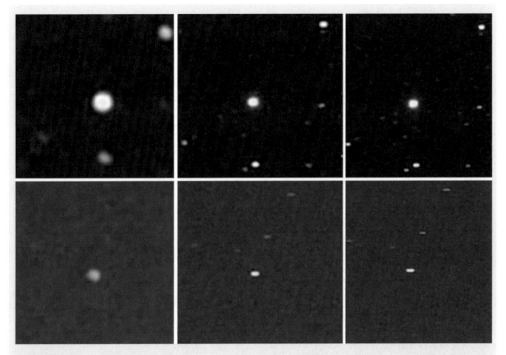

그림 7.3 다양한 적위 및 렌즈의 초점거리에 따른 고정촬영 영상에서 별상. 노출시간은 모두 10초. 시야는 $1° \times 1°$. 좌측부터 초점거리 24mm, 50mm, 70mm. 하단은 적위 $0°$, 상단은 적위 $60°$

점상 고정촬영은 스마트폰 카메라로도 할 수 있다. 스마트폰에서 프로모드 또는 전문가모드로 전환하면 iso감도, 조리개, 노출시간 조정이 가능하다. 최대한 노출량을 많이 하는 것이 좋지만 도심에서는 밤하늘의 빛 공해 상태에 따라 노출량을 조절해야 한다. 스마트폰은 가볍기 때문에 간단한 삼각대만 사용해도 흔들리지 않은 사진을 얻을 수 있다. 다만 스마트폰 카메라는 릴리즈가 없기 경우가 대부분이기 때문에 촬영 순간에 흔들릴 수 있다. 리모콘이 있으면 활용할 수 있지만 그렇지 않은 경우에는 타이머를 설정하여 터치 후에 일정시간이 지나 진동이 멈춘 뒤에 촬영이 시작되도록 하면 된다.

3. 일주사진

그림 7.4 김해천문대 배경 일주사진(2010년 1월 29일 촬영). 좌측은 크롭센서 DSLR에 초점거리 10mm 광각렌즈, iso100, f/3.5, 30초 276개를 합성하여 만든 사진이고, 우측은 같은 날, 같은 장소에서 45대형 필름카메라에 초점거리 150mm 표준렌즈, f/22, iso100, 2시간20분 노출하여 촬영한 사진이다.

장시간 노출로 고정촬영을 하면 지구의 자전으로 별이 지나간 궤적이 촬영된다. 일주사진이란 이렇게 별이 하늘에서 이동해 가는 것을 사진에 담은 것이다. 예전에 필름사진으로 일주사진을 찍을 때는 노출시간을 한 시간 이상으로 아주 길게 하여 별의 일주운동 궤적을 사진에 담았다. 그러나 오늘날에는 빛 공해로 하늘이 밝아져서 이렇게 긴 노출을 주게 되면 그림 7.4에서 보듯이 하늘이 너무 밝게 나와서 조리개를 극단적으로 조여야 하는데, 그러면 별이 나오지 않는다. 그래서 지금은 디지털 카메라로 하늘이 너무 밝지 않을 정도의 적당한 노출로 여러 장을 촬영한 후 영상을 합성하는 방법을 사용한다.

 디지털 카메라의 기능 중에 셔터를 누르면 셔터가 연속적으로 작동하는 기능이 있다. 이 기능을 연사모드 또는 연속촬영모드라고 부른다. 예를 들어 연사모드에서 노출시간을 30초로 설정하고 릴리즈를 사용하여 셔터를 1시간 동안 누르고 있으면 120장의 사진을 촬영할 수 있게 된다. 이렇게 얻어진 120장의 사진을 Startrails[1]라는 공개 소프트웨어를 이용하여 합성을 하면 간단하게 일주운동 사진을 만들 수 있다. 그림 7.5는 Startrails를 실행시키는 화면이다. 이 프로그램으로 천체사진영상 파일과 암영상 파일을 열고 일주영상 만들기를 클릭하면 쉽게 만들 수 있다. 여기서 암영상이란 빛을 막은 상태에서 촬영한 영상으로, 암영상을 이용하면 장시간 노출에 의한 열잡음을 보정하여 더 선명한 영상을 만들 수 있다.

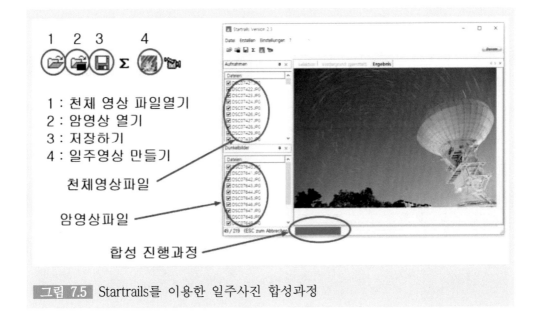

그림 7.5 Startrails를 이용한 일주사진 합성과정

---

1) https://startrails.de/

이렇게 30초 정도의 적당한 시간 노출한 영상을 여러 장 합성하여 일주운동 사진을 만들게 되면 빛 공해가 심한 도심에서 일주운동 촬영이 가능해진다. 그림 7.6은 빛 공해가 매우 심한 울산대 캠퍼스에 설치된 KVN울산전파천문대 배경의 북쪽하늘을 촬영한 일주사진이다. 사용한 카메라는 소니사의 풀프레임 미러리스 카메라 A7S에 초점거리 20mm 광각렌즈를 부착하여 촬영한 것이다. 이곳은 육안으로 2.5등성보다 어두운 별은 보이지 않을 정도로 빛 공해가 심한 곳이다. 이 사진은 하늘이 밝게 나오지 않도록 조리개를 f/5.6으로 조이고, 감도를 iso400으로 하여 노출시간 30초 영상을 219개 합성한 것이다. 천구의 북극을 중심에 두고 일주운동을 촬영하게 되면 별들은 천구북극을 중심으로 반시계방향으로 1시간에 15°를 회전한다. 여기서는 약 1.8시간 정도 촬영하였기 때문에 약 27°의 궤적이 나타난 것을 알 수 있다.

그림 7.6 KVN울산전파천문대 북쪽하늘 일주사진

(2) 사진렌즈를 이용한 광시야 촬영

1. 피기백(Piggyback) 방식과 카메라전용 소형적도의

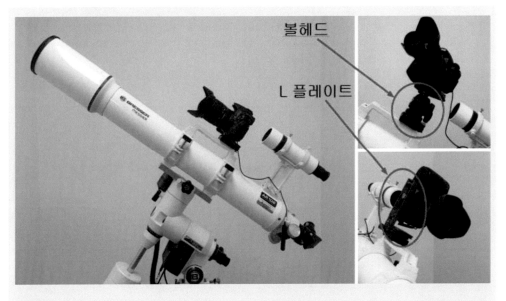

그림 7.7 피기백 방식으로 망원경 위에 카메라를 올린 모습(좌). 볼헤드 사용한 경우(우상)와 L 플레이트를 이용해서 동서방향으로 긴 화면이 나오도록 설치(우하)

사진렌즈를 이용하여 밤하늘을 촬영할 때 노출시간을 길게 하고도 점상의 별을 촬영하고 싶으면 일주운동을 따라 자동 추적이 되도록 하면 된다. 이를 위해 예전에 흔히 사용되던 방법은 적도의로 구동되는 망원경 위에 카메라를 올리고 촬영하는 방법인데, 이 방법을 피기백 방식이라고 부른다. 피기백 방식은 적도의식 망원경을 보유한 사람이라면 간단하게 사용할 수 있지만, 사진렌즈를 이용하여 광시야 촬영만을 목적으로 하는 경우에는 장비가 불필요하게 무거워서 이동에 불리하다는 단점이 있다. 그래서 최근에는 피기백 방식보다는 카메라만 올릴 수 있는 가볍고 작은 소형 적도의를 사용하는 사람이 많다.

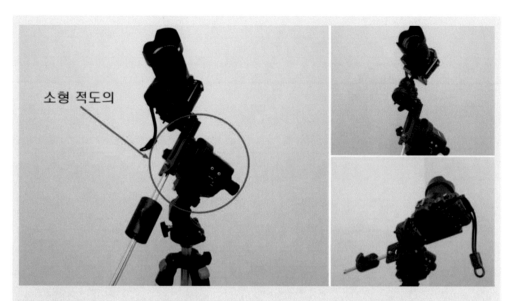

그림 7.8 소형 적도의에 카메라를 올린 모습(좌). 볼헤드 사용한 경우(우상)와 L 플레이트를 이용해서 동서방향으로 긴 화면이 나오도록 설치(우하)

피기백 방식이나 소형적도의 방식 모두 카메라를 바로 설치하면 카메라 화면의 긴 방향이 남북 또는 동서방향으로 고정된다. 천체사진은 동서남북으로 화면을 정렬하는 것이 바람직하지만 경우에 따라 다양한 각도로 촬영하고 싶을 때가 있다. 이 경우 카메라를 설치하는 위치에 먼저 볼헤드를 올리고, 볼헤드 위에 카메라를 설치하면 방향을 자유자재로 조정할 수 있다. 그러나 방향을 동서나 남북방향으로 정확하게 고정하고 싶을 때에는 볼헤드 보다는 카메라의 방향을 90° 꺾어 줄 수 있는 L플레이트를 사용하는 것이 더 좋다. 그림 7.7과 7.8에 L플레이트를 사용한 사례를 사진으로 보였다.

2. 광시야 사진

그림 7.9 소형적도의를 이용하여 촬영한 궁수자리와 우리은하중심부

사진렌즈를 이용하면 은하수와 같은 광시야의 천체를 촬영할 수 있다. 이때 피기백이나 소형적도의를 이용하면 된다. 은하수는 매우 넓은 영역을 촬영하기 때문에 초점거리가 짧은 광각렌즈를 많이 사용한다. 그림 7.9는 우리은하 중심 방향의 은하수이다. 이 사진은 그림 7.2의 배경에 보이는 하늘과 같은 방향인데, 보현산 천문대보다 밤하늘이 조금 더 어두운 경북 영양군 일월산 정상부근에서 촬영한 것이다. 그림 7.8에 있는 소형적도의에 사진에 있는 풀프레임 미러리스 카메라(A7S)를 L플레이트에 고정시켜서 촬영하였다. 초점거리 24-70 줌렌즈를 초점거리 50mm에 설정하여 조리개 f/4에서 iso1600, 노출시간 182초 5장과 61초 7장을 촬영한 후 합성하여 만든 것이다.

경우에 따라 넓은 밤하늘을 사진에 담는 것이 아니라 하늘의 특정한 영역을 적당한 화각으로 담고 싶을 때가 있다. 이때는 적당한 초점거리를 가진 망원렌즈를 사용하면 된다. 그림 7.10에서 보인 태아성운과 하트성운은 초점거리 135mm의 망원 렌즈로 촬영한 것이다. 사용한 카메라는 그림 6.10에 나온 냉각 CMOS카메라로 크롭센서 DSLR 카메라 보다 약간 작은 이미지 센서를 내장하고 있다. 붉은 색 성운을 강조하기 위해 그림 6.13의 투과함수를 갖는 이중투과 성운필터를 사용하였다. 성운이 매우 어둡기 때문에 렌즈의 조리개는 2.0으로 밝게 개방하였고, 노출시간 300초 영상 21개를 합성하여 사진을 얻었다. 초점거리 135mm, 노출시간 300초로 점상을 얻으려면 고정촬영은 불가능하지만, 자동추적을 하면 가능하다. 이 정도 초점거리는 망원경에 비해 초점거리가 짧아 추적오차 허용치가 크기 때문에, 간편한 소형적도의만 이용해도 장시간 노출에서 점상의 별을 얻을 수 있다.

그림 7.10 소형적도의를 이용하여 촬영한 태아성운(좌)과 하트성운(우)

3. 별자리 사진

그림 7.11 코킨사의 디퓨즈 필터를 사용해서 촬영한 거문고자리. 좌측은 P820, 우측은 P830

우리가 밤하늘의 별들을 보면 밝은 별들을 선으로 이은 별자리를 찾게 된다. 그런데 사진으로 밤하늘을 촬영하면 사진에 어두운 별들이 너무 많이 나오는데다 밝은 별의 크기가 생각보다 크지 않다. 사진에서 밝은 별이 크게 나오는 이유는 이미지 센서의 화소에 빛을 담아둘 수 있는 용량을 초과하여 전하가 넘쳐서 이웃 화소에 전하가 전달되어 별상이 퍼져서 크게 보이는 것이다. 이렇게 빛이 강해서 전하가 넘치는 상황을 포화(saturate)라고 한다. 포화가 심할 정도로 매우 밝은 별이 아니면 영상에서 나타나는 별의 크기는 큰 차이가 없다. 물론 노출을 적게 주어서 밝은 별만 보이게 촬영할 수도 있으나 이렇게 하면 수많은 별들이 있는 밤하늘을 재연할 수 없게 된다.

궁수자리가 촬영된 그림 7.2와 7.9를 비교해 보면 그림 7.9에서 궁수자리의 주요 별들이 훨씬 더 크게 강조되어 나온 것을 알 수 있다. 그림 7.9는 카메라 렌즈 앞에 디퓨즈 필터(코킨 P830)를 렌즈 앞에 설치하여 촬영한 것이다. 디퓨즈 필터는 사진을 몽환적인 사진이나 웨딩사진과 같이 부드러운 분위기를 연출하기 위해 만들어진 사진필터이다. 원래 만들어진 목적과 다르게 천체사진에 이 필터를 적용하게 되면 별빛이 필터에 산란되어 크게 번지는 효과를 낼 수 있다. 디퓨즈 필터는 여러 제조사에서 만든 다양한 모델이 있다. 필터의 모델에 따라 번지는 정도가 달라질 수 있는데, 경험에 따라 적당한 디퓨즈 필터를 사용하면 된다. 그림 7.11의 거문고자리 사진은 같은 날, 같은 장소에서 디퓨즈 필터는 코킨(cokin)사의 P820, P830모델의 디퓨즈 필터로 촬영하여 비교하였다. 2장에 나온 별자리 사진들은 모두 코킨 P830 디퓨즈 필터를 이용해서 촬영한 것이다.

여기서 사용된 필터는 사각형 필터로 렌즈 앞에 홀더를 장착하고 끼우는 방식인데, 필터를 끼우고 나면 기존의 후드를 사용하기 어렵고 이슬에 매우 취약하다는 문제가 있다. 그림 7.12에서는 3D프린터로 필름홀더와 후드를 제작하고, 후드 내부에 이슬방지용 열선을 설치한 것이다. 후드의 크기와 형태는 렌즈의 시야를 감안하여 광 차폐가 일어나지 않도록 설계하여 만든 것이다. 주변이 충분히 어둡고 공기가 건조한 곳에서 관측한다면 필터를 렌즈 앞에 테이프로 살짝 고정해서 사용해도 된다.

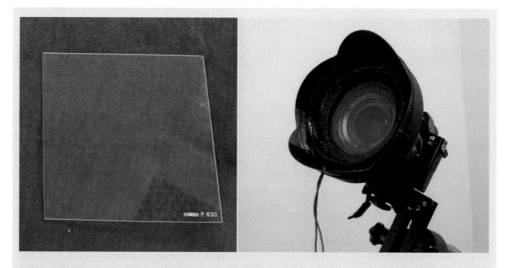

그림 7.12 코킨사의 P830 디퓨즈 필터(좌), 3D프린터로 제작한 필름홀더와 후드 내에 열선과 디퓨즈 필터를 장착한 모습(우)

(3) 어포컬(Afocal) 방식

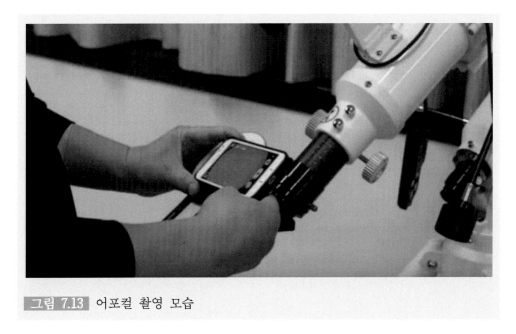

그림 7.13 어포컬 촬영 모습

사람의 눈은 카메라와 원리가 같다. 그래서 사람의 눈에 보이는 것은 카메라에서도 촬영될 수 있다. 즉, 망원경의 접안렌즈를 통해서 보이는 대상은 카메라를 잘 갖다 대면 촬영이 가능하다는 것이다. 이 방식을 어포컬 방식이라고 하는데, 최근 많이 보급된 스마트폰 카메라를 이용하면 누구든지 쉽게 천체사진을 촬영할 수 있다. 이 방식은 특별한 장비가 없어도 천문과학관이나 천체관측행사장의 망원경으로 촬영 할 수 있다는 장점이 있다.

스마트폰을 이용하여 어포컬 방식으로 사진을 촬영하기 위해서는 접안렌즈와 스마트폰의 카메라 렌즈를 잘 정렬해야 한다. 정렬은 첫 번째로 렌즈의 중심을 잘 일치시켜야 하고, 두 번째로는 카메라렌즈와 접안렌즈가 기울어지면 안 된다. 좌우로 기울거나 상하로 기울면 망원경을 통해 볼 수 있는 천체가 아니라 망원경의 어두운 내부를 보기 때문이다. 그리고 세 번째로는 카메라렌즈와 접안렌즈사이의 거리가 적당해야 한다. 특히 렌즈의 위치를 이동할 때 직관적으로 느끼는 방향과 화면이 반대로 움직이기 때문에 숙달이 필요하다. 대상을 중심에 넣은 뒤에 화면을 확대해서 더 크게 촬영하고 싶은 경우가 있다. 최근에 출시되는 스마트폰은 렌즈가 여러 개 설치되어 광각, 표준, 망원렌즈 영역에서 작동하는 렌즈의 위치가 다르다. 이런 이유로 스마트폰에 원하는 천체를 넣은 뒤에 확대를 하면 갑자기 렌즈에서 잡힌 영상이 나오면서 천체가 사라지기도 한다.

어포컬 방식으로 촬영하기 가장 좋은 대상은 달이다. 일반적으로 달은 화각이 커서 망원경을 통해 관측을 하면 시야에 꽉 차는 경우가 많다. 스마트폰은 화면에 들어온 빛의 양을 감지하여 자동으로 적정노출을 찾기 때문에 접안렌즈를 통해 보이는 달이 스마트폰 화면에 꽉 차면 폰이 자동으로 적당한 노출량을 찾아서 보기 좋게 촬영할 수 있다. 태양에 흑점이 많은 시기에는 태양도 이 방법으로 촬영이 가능하다.

망원경으로 토성이나 목성과 같은 행성을 보면 이것도 스마트폰으로 촬영하고 싶어진다. 행성을 달이나 태양처럼 간단하게 촬영하면 눈으로 봤을 때처럼 선명한 고리나 줄무늬를 볼 수 없고 그저 단순한 밝은 점으로 촬영된다. 그 이유는 스마트폰 카메라를 자동으로 설정하면 화면의 평균 밝기를 측광하여 이에 대응하는 노출 값으로 촬영되기 때문이다. 목성이나 토성과 같은 행성의 각 크기는 접안렌즈 전체 시야에 비해 상대적으로 너무 작다. 자동모드로 행성을 맞추면 스마트폰은 검고 어두운 화면을 촬영하는 것으로 인식하고, 과다하게 많은 노출 값을 주게 된다. 그래서 행성을 촬영하면 행성이 너무 밝게 나오는 것이다. 만약 스마트폰으로 행성을 촬영해 보고 싶다면 노출시간, iso등을 조절할 수 있는 전문가모드로 변경하여 적당한 노출을 수동으로 셋팅하면 되지만 좋은 사진을 얻기는 어렵다.

그림 7.14은 개기월식 때 붉은 색으로 보이는 달의 사진을 어포컬 방식으로 촬영한 것이다. 여기에서는 저배율 망원경으로 촬영하였기 때문에 전체 화면에 비해 달이 차지하는 면적이 작다. 보름달을 이런 방식으로 촬영하면 달이 과다하게 밝게 나오는 것이 정상이다. 그러나 개기월식으로 인해 달이 충분히 어두워진데다, 관측지가 빛공해가 심한 도심지역이라 하늘이 밝아서 스마트폰이 찾은 적정 노출에서 달이 무난하게 나온 것이다.

그림 7.14 어포컬 방식으로 촬영한 개기월식 때 달의 모습

어포컬 방식으로 달을 촬영해 보고나면 성운, 성단, 은하와 같은 딥스카이 천체도 촬영을 시도해보고 싶어진다. 그러나 이것도 쉬운 일이 아니다. 스마트폰을 전문가모드에서 노출을 수동으로 셋팅하여 장시간 노출로 촬영해야 한다. 이 때 노출시간을 수초 이상 길게 주어야 하기 때문에 스마트폰 거치대가 없으면 별들이 점상이 아니라 흔들린 모습으로 촬영될 수 있다. 최근 스마트폰 카메라의 성능이 빠르게 좋아지고 있어서 머지않은 미래에는 지금보다 훨씬 좋은 품질의 천체사진을 촬영할 수 있겠지만, 더 선명한 사진을 촬영하기 위해서는 다음에 설명할 직초점, 확대촬영, 축소촬영 방법을 이용하는 것이 바람직하다.

(4) 직초점(Prime focus) 촬영법

그림 7.15 다양한 T링. 좌측부터 캐논용 M48 T링과 2인치 어댑터, 캐논용 M42 T링과 1.25인치 어댑터, 니콘용 M42 T링과 2인치 어댑터

천체망원경 경통에 카메라를 부착하면 경통은 카메라의 렌즈와 같은 역할을 한다. 이렇게 망원경에 직접 카메라를 설치하여 촬영하는 방법을 직초점 촬영법이라고 한다. 직초점 연결을 위해 먼저 카메라에서 렌즈를 제거하고, 그 자리에 T링과 어댑터를 부착한다. 그리고 이것을 경통의 다이아고날과 접안렌즈를 제거한 자리에 부착하면 된다.

T링이란 카메라 바디와 결합할 수 있는 장치인데 카메라 제조사나 모델에 따라 다르다. 일반적으로 T링은 한 쪽 면은 카메라와 결합하고 다른 한 쪽은 암나사로 되어 있는 경우가 많다. 흔히 사용하는 암나사의 규격은 M42와 M48이다. M42는 직경 42mm의 나사산으로 된 것으로 주로 크롭센서 DSLR에 최적화되어 나온 것이다. 풀프레임 DSLR카메라를 사용할 때 M42 규격 제품을 사용하면 구석부분에 광차폐가 일어나기 때문에 사진의 네 귀퉁이가 검게 나온다. 풀프레임 DSLR카메라를 사용하려면 직경 48mm의 나사산으로 된 M48을 사용한다.

망원경과 연결하는 어댑터는 접안렌즈의 규격처럼 1.25인치와 2인치가 흔히 사용된다. 크롭센서 카메라는 1.25인치 어댑터를 사용해도 괜찮은 경우가 많지만 초점비가 작은 밝은 망원경에는 가장자리에 차폐가 일어날 수도 있다. 그리고 기계적으로도 튼튼하게 설치하기 어렵기 때문에 망원경에 2인치 접안부가 제공된다면 2인치 어댑터를 사용하는 것이 좋다.

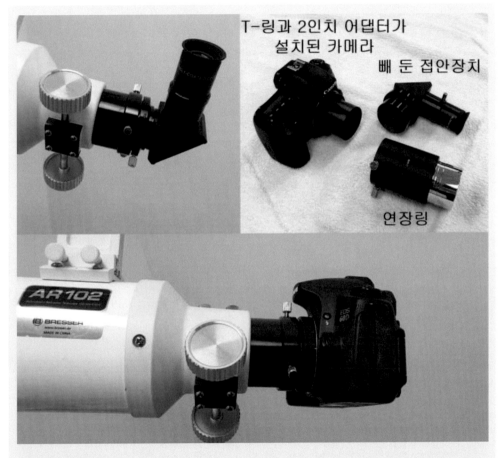

그림 7.16 직초점 설치. 안시 장치가 연결된 망원경 접안부(좌상), 부품들(우상), 망원경의 접안부에 T링이 설치된 카메라(하)

간혹 사진촬영에 최적화되어 만들어진 망원경 중에는 해당 모델의 망원경 전용으로 제작된 T링을 사용해야 하는 경우가 많다. 이미지 플레터너의 역할을 하는 렌즈가 내장된 경우에는 망원경 후방 말단에서 이미지 센서까지의 거리를 정확하게 유지해야 하기 때문에 전용 T링을 사용하는 것이 좋다.

그림 7.17 망원경에 카메라를 설치한 방향. 좌측은 남북으로 긴 화면, 우측은 동서로 긴 화면

    망원경에 카메라를 부착할 때 몇 가지 알아두면 좋은 상식이 있다. 첫 번째는 카메라의 설치방향이다. 일반사진과 달리 천체는 망원경이 일주운동 방향을 따라 동서남북으로 움직이기 때문에 카메라를 동서남북 방향으로 설치하는 게 좋다. 간단한 방법으로는 그림 7.17에서처럼 카메라의 바닥면이 추봉과 수직으로 되게 하여 남북으로 길게 설치하거나, 추봉과 나란하게 설치하여 동서로 긴 화면을 만들 수 있다. 조금 더 정확한 방법을 원하면 밝은 별을 시야의 중심에 둔 뒤, 별을 동서 또는 남북으로 이동시키면서 화면의 방향을 따라 움직이는지 확인하면 된다. 간혹 대상에 따라 방향을 다르게 하고 싶은 경우가 있지만, 넓은 영상을 만들기 위해 여러 장으로 영상을 모자이크해야 할 때에 카메라가 정렬이 되지 않아 있으면 문제가 발생한다.

    두 번째로는 초점거리와 관련된 내용이다. 안시관측용으로 만들어진 망원경은 기본적으로 다이아고날을 설치하는 것을 가정하여 초점거리를 맞출 수 있도록 설계되어 있다. 그래서 사진촬영을 위해 카메라를 설치하면 초점을 완전히 새로 맞추어야 한다. 망원경의 종류에 따라 간혹 초점조절장치의 범위를 벗어나는 경우도 있다. 이 경우 초점거리를 연장하여야 하면 연장링(그림 7.16)을 사용하여야 한다. 반대로 뉴튼식 반사망원경 중에는 경우에는 초점조절 범위보다 안으로 넣어야 초점을 얻을 수 있는 경우도 있다. 이런 경우에는 바로우렌즈로 초점을 연장하여 사용하기도 한다.

(5) 확대 촬영법

그림 7.18 80mm굴절망원경(f/15)에 3x바로우렌즈를 부착하여 촬영한 목성. 좌측의 점은 이오위성의 그림자

작은 망원경을 이용하여 행성을 직초점으로 촬영하면 각 크기가 너무 작아 자세한 구조를 담아내기 어렵다. 이렇게 각 크기가 작은 천체를 촬영하고 싶을 때에는 접안렌즈를 이용한 투영 촬영법이나 초점거리를 연장해 주는 바로우렌즈를 이용하여 상을 확대하여 촬영하게 된다. 그림 7.18은 구경 80mm f/15인 초점거리가 1200mm인 망원경에 3배 바로우렌즈를 사용하여 합성 초점거리 3600mm를 만들어 촬영한 것이다. 이 사진에서 목성의 줄무늬와 이오위성의 그림자를 볼 수 있다. 안시용으로 사용하는 바로우렌즈는 5장에서도 설명한 바가 있다. 바로우렌즈는 접안렌즈를 연결하여

안시관측에도 사용할 수 있지만, 그림 7.19처럼 T링을 설치하여 촬영에도 사용할 수 있다. 접안렌즈 연결 방식인 바로우렌즈에 어댑터가 설치된 T링을 접안렌즈 위치에 카메라를 설치하여 촬영용으로 사용할 수도 있다.

그림 7.19 T링이 설치된 2인치 2x 바로우 렌즈

확대촬영의 다른 방법은 접안렌즈로 투영을 해서 촬영하는 접안렌즈 투영법이다. 이 방법은 대물렌즈를 통해 들어온 빛이 접안렌즈를 통과한 후 계속 확대되면서 접안렌즈 후방에 영상이 맺히는 원리를 이용한 것이다. 이 방법을 이용하면 접안렌즈와 카메라 이미지 센서까지의 거리를 조절하면 상을 충분히 확대할 수 있다. 그러나 접안렌즈는 안시관측에 최적화된 광학계이기 때문에 투영촬영을 하게 되면 수차가 발생할 가능성이 있다. 그래서 간혹 투영촬영 전용 접안렌즈가 출시되기도 한다. 투영촬영을 하기 위해서는 투영촬영용 어댑터가 필요하다. 투영촬영 어댑터는 경통과 카메라 사이에 설치되는데 어댑터 내부에 1.25인치 접안렌즈가 들어간다. 카메라가 설치되는 방향에는 T링을 설치할 수 있도록 되어 있고, 경통과 연결되는 부분은 1.25인치 또는 2인치 접안부와 연결할 수 있도록 설계되어 있다.

(6) 축소 촬영법

그림 7.20 0.7x 리듀서. 사진은 셀레스트론 사의 EdgeHD 9.15모델의 망원경에 사용할 수 있도록 설계된 것이다.

관측 대상에 따라 넓은 영역을 촬영해야 할 때가 있다. 촬영할 시야를 넓히기 위해서는 넓은 면적의 이미지 센서도 필요하지만 초점거리가 짧을수록 유리하다. 그래서 주어진 망원경의 초점거리를 짧게 만들어야 한다. 초점거리를 짧게 만들기 위해 5장에서 설명한 리듀서를 사용하면 된다. 천체사진 촬영 시 리듀서를 이용하여 상을 축소하여 시야를 넓히게 되면 가장자리 부분에 수차가 발생할 수 있다. 그래서 천체사진 촬영용 리듀서는 플레터너의 역할을 같이 할 수 있도록 설계되어 나온다. 광학설계에 맞게 사용하기 위해서는 전용 T링을 사용해서 리듀서에서 카메라의 이미지 센서까지의 거리를 정확히 유지해야 하는 경우가 많다.

그림 7.21 슈미트 카세그레인식 망원경의 부경을 떼고 보정렌즈 뒤에 카메라를 붙인 사례. f/10에서 f/2.2까지 초점거리를 줄일 수 있다.

최근에 각광 받고 있는 광시야 촬영 방법으로는 카세그레인식 망원경에서 부경을 떼고 주경 초점에 카메라를 두고 촬영하는 방법이 있다. 3장에서 설명한 것처럼 카세그레인식 망원경은 망원경 뒷부분에 있는 오목거울에서 모아진 빛을 전면에 있는 볼록거울로 초점을 연장하여 주경의 뒤에서 관측하는 방식의 망원경이다. 여기서 주경 뒤에 맺히는 초점면을 카세그레인 초점면이라고 부른다. 이런 구조의 카세그레인식 망원경에서 부경은 마치 바로우렌즈처럼 초점거리를 연장시키는 효과가 있어서 경통 길이에 비해 초점거리가 매우 길어진다. 초점거리가 길면 행성관측과 같이 각 크기가 작은 대상을 자세히 관측할 때는 유리하지만 넓은 시야로 관측하기에는 불리하다. 이 형태의 망원경은 부경을 뺀 주경만의 초점거리는 구경에 비해 매우 짧다. 만약 카세그레인식 망원경의 부경을 떼고, 주경의 초점면에 카메라를 설치할 수 있다면 구경에 비해 매우 넓은 시야를 확보할 수 있다. 이렇게 시야를 넓히면 시야의 가장자리에 수차가 심하게 발생할 수 있기 때문에 그 광학계에 최적화된 보정렌즈를 설치해야 한다.

그림 7.21는 카세그레인식 망원경과 유사한 형태의 광학계인 슈미트 카세그레인식 망원경에서 부경을 떼고 보정렌즈를 설치하여 카메라를 장착한 모습이다. 그림 7.22 의 사진은 이 망원경으로 촬영한 외부은하 M51을 카세그레인 초점과 주경초점에 두고 촬영한 것을 비교한 것이다. 이 사진처럼 M51과 같이 각 크기가 작은 천체는 카세그레인 초점면에 관측하는 게 유리하지만 그림 7.23에서 보듯이 플레이아데스 성단 (M45)와 같이 넓은 시야의 천체를 관측하는 경우 주경초점에서 관측하는 것이 좋다.

그림 7.22 동일한 슈미트 카세그레인식 망원경과 같은 카메라로 촬영한 외부은 하 M51. 좌측은 카세그레인 초점면에 카메라를 설치하여 촬영한 것이고, 우측은 부경을 떼고 보정렌즈 뒤에 카메라를 붙여 촬영한 것이다.

그림 7.23 슈미트 카세그레인식 망원경의 주경초점에 카메라를 설치하여 촬영한 플레이아데스 성단(M45).

제8장 디지털 천체 영상의 처리

앞 장에서 우리는 천체사진을 촬영하는 다양한 방법을 알아보았다. 이렇게 알게 된 방법으로 얻은 영상으로 맨눈으로는 볼 수 없었던 천체의 모습을 볼 수 있다. 촬영된 천체사진이 후보정이라는 과정을 거치게 되면 더 아름다운 천체사진이 된다. 이 장에서는 관측에서 얻은 디지털영상을 이해하고 어떤 과정으로 아름다운 천체사진이 만들어지는지 알아보기로 하자.

(1) 디지털 영상의 이해

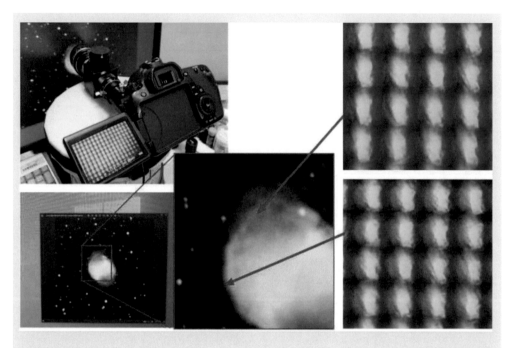

그림 8.1 화소로 보는 칼라 영상. 행성상 성운 M27의 사진을 모니터에 띄워서 확대하여 촬영한 각 지점. 좌측상단은 촬영을 위해 카메라를 설치한 모습으로 카메라 액정에 라이브 뷰로 떠 있는 모니터의 화소가 보인다.

디지털 영상은 화면상의 위치 x, y에 대응하는 화소값으로 구성된 3차원 데이터이다. 화면에서 값이 가장 낮은 화소를 검게 표현하고, 가장 높은 화소를 희게 표현하면 흑백의 영상이 되는 것이다. 칼라 영상은 빛의 삼원색인 적(R), 녹(G), 청색(B)의 작은 3개의 화소를 이용하며 만든다. 화소의 크기가 충분히 작으면 우리가 보는 거리에서 R, G, B 세 개의 화소가 합쳐져서 하나의 화소처럼 보일 수 있다. 각 화소 마다 R, G, B 3색의 화소값을 컴퓨터가 기억하고 있다가 값에 비례하는 밝기로 화면에 띄워주면 우리가 생각하는 칼라 영상이 된다. 그림 8.1에서 보듯이 모니터 화면에서 푸른색을 띈 성운을 화소 크기로 확대해서 보면 빛의 3원색 중 청색이 강하고, 붉은 색이 강한 위치를 확대해 보면 붉은 색을 내는 화소가 밝아진 것을 알 수 있다.

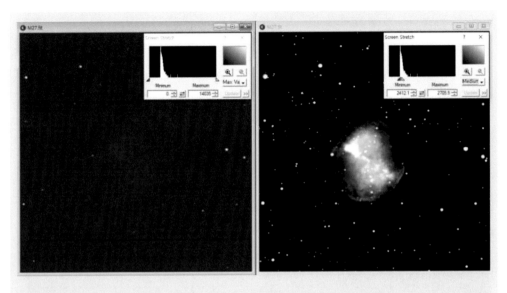

그림 8.2 동일한 영상의 다른 모습. 좌측은 화소값이 0인 것을 가장 어둡게, 최대치(14035)를 가장 밝게 표현한 것이고, 우측은 성운의 밝기 근처에서 최소, 최대치를 잡아서 표현 한 것이다.

이렇게 칼라 디지털 영상은 (x,y,R,G,B)의 5개의 변수로 이루어진 숫자들의 조합으로 생각할 수 있다. 이 데이터를 화면에 표시할 때 어떤 수치를 가장 밝게 표시하고 어떤 수치를 가장 어둡게 표시하느냐에 따라 영상은 완전히 다르게 보일 수 있다. 그림 8.2는 MaxImDL이라는 소프트웨어에서 스크린 스트래치(Screen Stretch)기능을 이용하여 행성상 성운 M27의 영상을 다르게 표현해 본 것이다.

그림에서 좌우 영상 우측 상단에 띄운 창이 스크린 스트래치 창이다. 이 창은 영상에 있는 화소값을 히스토그램으로 나타낸 것이다. 이 그래프를 보면 화소값은 전체 범위에 대해 최소치보다 약 1/5~1/4사이에 많이 분포해 있다는 것을 알 수 있다. 좌측 그림은 영상을 표현하는 밝기의 기준을 화소값 최소치(0)를 검게 그리고 최대치(14035)를 희게 표시한 것이다. 좌측 그림을 보면 아주 밝은 별의 중심부를 제외하고는 특별한 특징 없이 약간 뿌옇게 보인다. 이에 비해 우측 그림은 행성상 성운의 밝기 근처의 아주 좁은 화소값 범위(2412.1~2705.5)를 기준으로 정한 것이다. 이렇게 하면 배경하늘에 비해 200~300 정도 밝은 화소값을 갖는 성운의 형태를 잘 알아볼 수 있게 된다. 이 성운의 일부 위치에 대해 R, G, B 값의 분포를 그림 8.3의 우측 그래프에서 알아보았다. 이 그래프는 좌측그림에서 빨간 선의 좌측에서 우측을 따른 화소값들을 나타낸 것이다. 이 그래프에서 선을 따른 화소의 위치가 약 400~550 사이를 보면 스크린 스트래치 화소값의 최대치인 2705.5에 비해 더 높은 것을 알 수 있다. 그림 8.2의 좌측사진에서 이 구간의 색을 보면 흰색으로 나타나 있다. 만약 이 부분도 색상을 표현하고 싶으면 스크린 스트래치에서 화소의 최대치 기준을 조금 더 올려주면 된다. 그러나 이렇게 하면 성운의 어두운 부분이 잘 표현되지 않을 수 있는데, 두 구간 모두를 살리려면 조금 더 복잡한 보정 기술이 필요하다. 이 방법에 대해서는 이 단원의 (3)절 뒷부분에서 설명하고 있다.

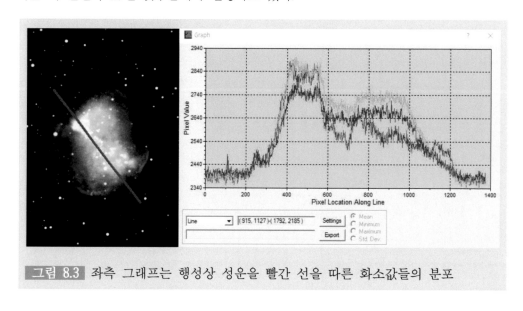

그림 8.3 좌측 그래프는 행성상 성운을 빨간 선을 따른 화소값들의 분포

(2) 영상의 전처리와 합성

천체 사진 영상은 매우 흐린 빛을 긴 시간동안 노출하여 얻게 된다. 그래서 일반 사진에서는 잘 나타나지 않던 문제가 나타나게 된다. 이 문제를 해결하면 더 선명한 플랫 영상을 얻을 수 있다. 기본적으로 바이어스 영상, 다크 영상, 플랫 영상 3가지 영상을 얻어서 보정해 주면 된다. 이를 통해 관측기기가 가지고 있는 본질적인 잡음을 보정할 수 있다. 그리고 더 선명한 영상을 얻기 위해 한 장의 영상을 사용하지 않고 동일한 영역을 여러 번 촬영한 여러 장의 영상을 합성하여 더 선명한 영상을 만들 수 있다.

1. 바이어스(Bias) 영상

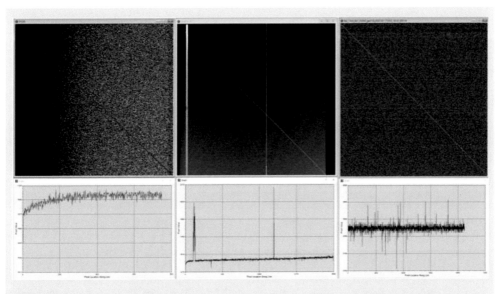

그림 8.4 바이어스 영상의 특징. 1999년 소백산 천문대 PM512 CCD(좌), 2001년 소백산 천문대 2K CCD(가운데), 2023년 보급형 CMOS카메라(ZWO ASI533MC-Pro)(우). 아래 패널의 그래프는 위 영상에 그어진 대각선을 따른 화소값의 분포이다.

바이어스 영상은 빛을 완전히 가리고 노출시간을 0초로 하여 촬영한 영상이다. 이론적으로 빛이 들어오지 않으면 화소값이 모두 0이 되어야 하겠지만 0이 되지 않고 특정한 값을 가지게 된다. 이는 마치 저울 위에 접시를 먼저 올리고 난 뒤, 그 위에 올린 물건의 무게를 잴 때 접시의 무게가 항상 더해지는 것과 비슷한 개념이다. 이 경우 물건의 무게를 측정할 때 영점보정을 위해 접시의 무게를 빼게 되는데, 바이어스 영상도 이와 유사한 개념으로 영점영상이라고 부르기도 한다.

바이어스 영상은 이미지 센서의 고유한 특성 및 사용자가 설정한 iso값, gain[1]값, 센서의 온도에 따라 그 정도와 양상이 달라지기 때문에 관측하는 날에 같은 시스템으로 촬영하게 된다. 바이어스 영상을 얻을 때는 카메라의 셔터를 닫고 노출시간을 0초로하여 촬영한다. DSLR이나 CMOS 카메라의 경우 노출시간을 0초로 설정이 되지 않는데, 이 경우에는 카메라의 뚜껑을 덮고 0.001초와 같이 가장 짧은 노출 시간을 선택하여 촬영하면 된다. 냉각 CMOS카메라의 경우에는 센서의 냉각온도를 그날 밤 관측 시 사용할 온도로 충분히 냉각이 된 상태에서 촬영하여야 한다. 냉각이 되지 않는 카메라는 주변온도가 관측 시와 비슷한 온도일 때 촬영하는 것이 좋다.

바이어스 영상을 촬영하면 이미지 센서의 특성에 따라 특정한 패턴이 있을 수도 있다. 그림 8.4에서 소백산 천문대와 보현산 천문대 초기에 사용하던 CCD 그리고 최근에 사용하고 있는 냉각 CMOS카메라에서 나타난 바이어스 패턴을 보면 이미지 센서의 특징에 따라 바이어스 영상의 패턴이 다르다는 것을 알 수 있다.

---

[1] CMOS카메라에서 사용하는 개념으로 이득이라고 부르기도 한다. 전자를 증폭시키는 정도를 나타내며, 수치가 높을수록 많이 증폭시키는 값이다. DSLR카메라에서 iso와 유사한 개념이다.

2. 다크(Dark) 영상

다크(Dark) 영상은 외부에서 빛이 들어오지 않은 상태에서 장시간 노출을 주고 촬영하였을 때 나오는 영상이다. 이미지 센서는 빛이 들어올 때 발생하는 전하를 누적시켜서 디지털 신호로 읽어 들이는 장치이기 때문에 빛이 들어오지 않으면 전하가 발생하지 않는 것이 원칙이다. 그러나 이미지 센서의 온도에 따라 열에 의한 약한 신호가 발생하게 된다. 이 신호는 바이어스 영상처럼 고유한 특성 및 사용자가 설정한 iso값, gain값, 센서의 온도에 따라 그 정도와 양상이 달라진다. 특히 센서의 온도가 낮아지면 급격하게 줄어드는데, 액체질소로 냉각하는 영하 100℃ 부근에서는 보정하지 않아도 될 정도로 거의 없다. 그러나 상온과 같은 상대적으로 높은 온도에서는 온도에 따른 차이가 크다. 그림 8.5에서 이미지 센서의 온도를 달리했을 때 나타나는 다크 영상의 화소값을 비교해 보았다. 다크 영상은 온도가 같으면 노출시간에 비례하여 값이 높아지기 때문에 노출시간에 대한 보정이 필요하다.

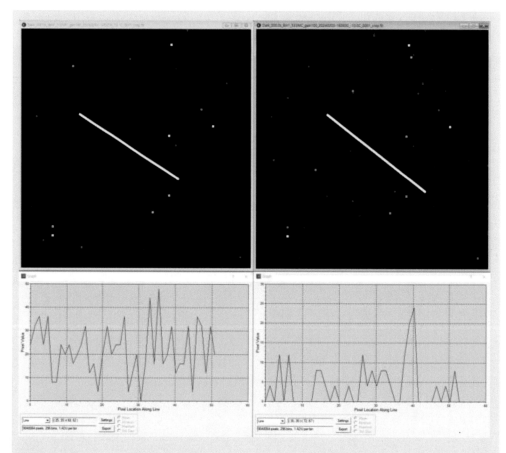

그림 8.5 온도에 따른 다크 영상 값의 차이. 아래 그래프는 흰 선을 따른 화소 값들의 그래프. 좌측은 18℃ 상온에서 노출 300초 다크 영상으로 화소값이 20부근 이며, 우측은 -10℃ 에서 노출 300초 다크 영상으로 화소값이 5부근이다.

3. 플렛(Flat) 영상

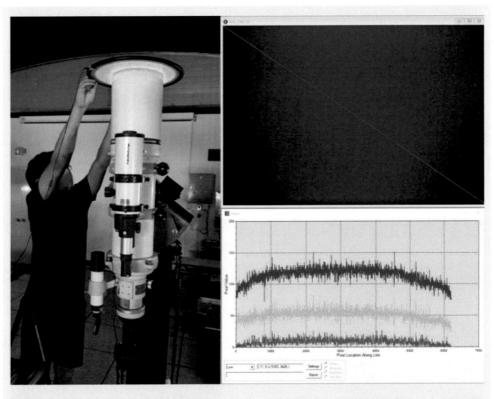

그림 8.6 플렛 영상 촬영장면(좌), 촬영된 영상(우상), 촬영된 영상의 대각선(흰 선)을 따른 R, G, B 화소값의 분포

하얀 스크린처럼 모든 점의 밝기가 일정한 광원을 촬영하면 영상의 모든 화소의 값이 같을지 생각해 보자. 실제로 균질한 광원의 영상을 촬영을 해서 확인해 보면 그렇지 않다는 것을 알 수 있다. 그림 8.6에서 보듯이 실제로 균질한 광원을 망원경 대물렌즈 앞에 대고 영상을 촬영해서 각 화소마다 밝기를 확인해 보면 균질하지 않게 나타난다. 그 원인은 여러 가지가 있다. 예를 들면 비네팅 현상으로 인해 중심보다 가장자리가 어두워지기도 하고, 이미지 센서 또는 이미지 센서나 필터, 센서 보호창 등에 있는 먼지에 의해 부분적으로 어두워지기도 한다. 이 외에도 각 화소마다 크고 작게 빛을 감지하는 효율이 다를 수도 있다. 그래서 천체사진을 촬영하면 이런 문제를 보정해야 한다.

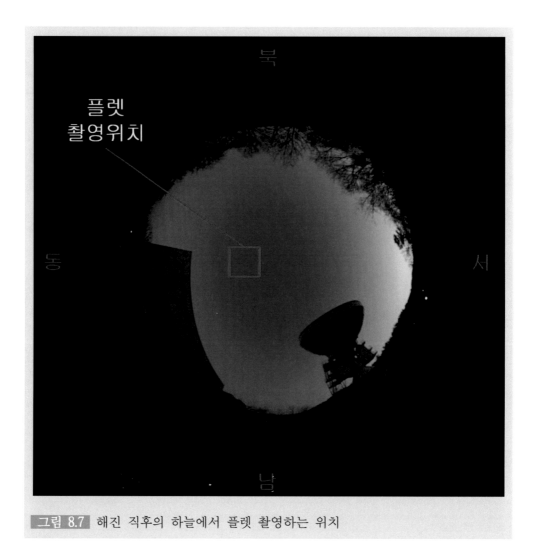

그림 8.7 해진 직후의 하늘에서 플렛 촬영하는 위치

플렛 보정을 위해서 이상적으로 균질한 대상을 촬영한다. 균질한 광원으로 흔히 사용하는 대상은 해가 진 직후에 천정에서 약간 동쪽하늘 또는 해뜨기 직전에 천정에서 약간 서쪽하늘로 망원경을 기울여서 촬영한다(그림 8.7). 이렇게 박명하늘의 균질한 광원을 촬영한 것을 박명하늘 플렛이라고 부른다. 박명하늘 플렛을 촬영할 때 어려운 점은 촬영할 수 있는 시간이 제한적이라는 것이다. 하늘이 너무 어두워지면 별이 촬영되어 균질한 영상을 얻는데 문제가 될 수 있다. 그렇다고 하늘이 너무 밝을 때 촬영하면 하늘 밝기의 균질함이 나빠질 수도 있고 지나친 짧은 노출에 의한 기기적인 문제가 발생할 수도 있다. 특히 기계식 셔터가 있는 CCD카메라의 경우 1초 이

하의 짧은 노출에서는 셔터로 인해 문제가 발생한다. 전자식 셔터를 사용하는 CMOS 카메라나 DSLR카메라는 이보다 짧은 노출을 사용할 수도 있다. 박명하늘 플랫을 촬영할 수 없을 때는 그림 8.6과 같이 평탄광원패널을 망원경 앞에 놓고 촬영하여 사용해도 된다.

플랫 영상을 촬영할 때는 노출량이 너무 많으면 화소가 담을 수 있는 최대치를 넘게 되어 사용할 수 없다. 반면 어두우면 플랫의 특성을 제대로 담지 못하기 때문에 적당한 밝기로 촬영하는 게 좋다. 그리고 iso감도에 따라 미세하게 다를 수 있기 때문에 그날 촬영할 셋팅 값으로 촬영해야 한다. 한 장의 플랫 영상으로도 보정은 가능하지만, 여러 장을 촬영하여 통계적인 대표영상을 적용하는 것이 좋다. 특히 별이 촬영된 경우 가능한 많이 촬영하여 합성하면 별을 제거할 수 있다.

박명하늘 플랫의 경우에는 망원경을 움직여가며 여러 장을 촬영한 뒤 시그마 클리핑(sigma clipping) 알고리즘을 이용해서 합성하여 별을 제거한다. 여러 장의 영상을 합성할 때 대개 동일한 좌표의 화소값의 평균값 또는 중간값을 대표값으로 사용하게 된다. 그런데 플랫 영상의 대표값을 계산할 때 여러 개 영상 중 한 개의 영상에만 별이 들어오면 그 화소는 대표값에 비해 비정상적으로 높은 값을 갖게 된다. 만약에 별이 들어온 영상을 제외하고 다시 계산하면 더 정확한 대표값을 계산할 수 있다. 시그마 클리핑이란 대표값에 대해 표준편차(σ)보다 적당한 크기로 벗어난 화소를 제외하고 다시 대표값을 정하는 알고리즘이다. 플랫 영상에서 이 알고리즘을 적용하려면 여러 장을 촬영하여야 하며, 매 촬영마다 반드시 망원경을 조금씩 움직여서 같은 위치에 별이 나타나지 않도록 해야 한다. 그림 8.8에 전처리를 위한 소프트웨어인 딥스카이 스태커[2]에서 시그마 클리핑 알고리즘을 선택하는 창을 나타내었다. 이 창에 Kappa라는 변수를 2로 설정했는데 이는 화소값이 대표값에 대해 2σ이상 벗어나는 것을 사용하지 않는다는 의미이다.

---

2) Deep Sky Stacker(http://deepskystacker.free.fr/english/index.html)

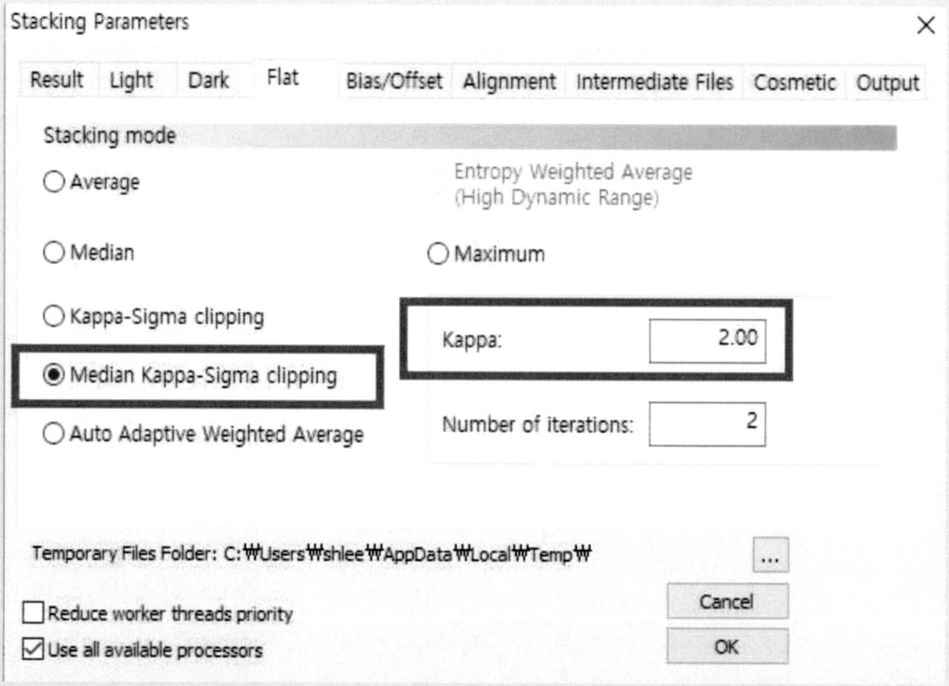

그림 8.8 딥스카이 스테커를 이용하여 플렛 영상을 합성할 때 시그마 클리핑 알고리즘을 적용하는 과정

4. 영상의 합성과 전처리

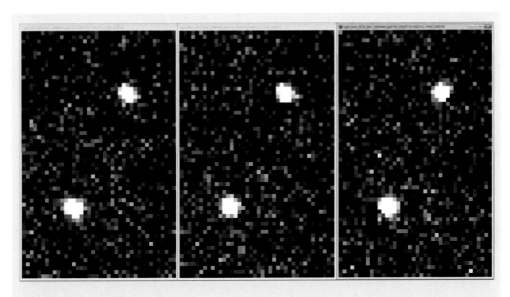

그림 8.9 동일한 두 위치를 같은 조건으로 촬영한 영상. 별이 없는 배경을 보면 세 영상에서 밝기가 제각각임을 알 수 있다.

천체를 촬영할 때는 더 품질 좋은 영상을 얻기 위해 천체 영상, 바이어스 영상, 다크 영상, 플랫 영상을 촬영하게 된다. 각 영상은 1개만 촬영할 수도 있지만 최소 3개 이상의 영상을 촬영하여 합성하면 더 깨끗한 영상을 만들 수 있다. 천체 영상의 경우 한 장을 너무 길게 노출하면 추적불량으로 별이 흐를 수도 있고, 인공위성이 지나가는 등 순간적인 잡음, 불량화소 등이 영향을 미칠 수 있다. 흐린 천체의 영상을 선명하게 촬영하기 위해서는 노출시간을 길게 하여 빛을 누적시킬수록 좋다. 그러나 노출시간을 무작정 늘리면 하늘 밝기로 인해 영상전체가 포화되어 하얗게 나올 수도 있다. 이런 경우 짧은 노출을 준 영상 여러 개를 합성 하면 긴 노출을 준 것과 유사한 효과를 얻을 수 있다. 그림 8.9의 세 영상은 연속으로 촬영한 것인데, 별이 있는 위치가 아닌 다른 위치의 밝기가 무작위로 바뀌는 것을 확인할 수 있다. 별이 있는 위치에서는 지속적으로 빛이 들어오기 때문에 계속 밝은 신호가 나오지만, 그렇지 않은 경우에는 무작위로 밝고 어두워지는 것이 반복된다. 여러 장의 영상을 합성하면 신호가 있는 곳에 비해 그렇지 않은 위치는 값의 무작위한 정도가 낮아진다. 더 좋은 영상을 얻기 위해서 여러 장을 합성하는 방법을 사용하는데, 이때 천체 영상의 개수는 많을수록 좋다. 그러나 영상의 개수는 무한정 많을 수는 없다. 그 이유는 지구자전으로 인해 천체가 적당한 고도로 떠 있는 시간이 정해져 있기 받기 때문이다. 물론 하루만 관측하는 게 아니라 여러 날 관측한 영상을 합쳐서 더 좋은 품질의 사진을 만들 수 있다.

좋은 천체사진을 얻기 위해서 먼저 관측한 천체의 영상에 대해 앞에서 언급한 바이어스, 다크, 플랫 영상을 이용한 보정을 하게 되는데, 이 과정을 영상의 전처리 과정이라고 한다. 이를 위해 관측당일에 전처리를 위한 영상을 촬영하는 것이 원칙이다. 그런데 상황에 따라 관측당일 전처리 영상을 촬영하지 못했으면 가장 가까운 시일에 관측한 영상을 사용해도 된다. 그러나 망원경과 카메라를 재장착 하는 경우 카메라의 방향에 따라 플랫 영상의 패턴이 달라질 수 있기 때문에 주의해야 한다. 특히 DSLR 카메라의 경우 카메라를 껐다가 켜는 순간 자동으로 이미지 센서의 먼지 제거 기능이 작동하는 경우가 있다. 천체사진용으로 사용하려면 DSLR카메라의 이미지 센서 자동 청소 기능은 비활성화 시키고 플랫을 촬영하기 전에 다른 방법으로 청소하는 것이 좋다. 전처리에 필요한 영상은 많이 촬영할수록 좋지만 박명하늘 플랫은 시간의 제약이 있고, 다크 영상은 많이 촬영하기에 시간이 너무 오래 걸리기 때문에 무한정 많이 촬영할 수는 없다.

영상의 전처리 과정 중에 가장 먼저 하는 과정은 바이어스 영상을 빼는 것이다. 다크 영상, 플랫 영상, 천체 영상 모두 영상을 읽어 들이는 과정에서 바이어스를 내포하고 있다. 먼저 촬영된 모든 바이어스 영상을 합성하여 대표 바이어스 영상을 만들고 다크 영상, 플랫 영상, 천체 영상에 바이어스 영상을 빼면 된다. 빼는 과정은 같은 위치에 대응하는 화소값을 산술적으로 빼는 것이다.

바이어스를 빼고 난 영상은 모든 화소값이 바이어스값 만큼 낮아진다. 그렇지만 긴 노출시간에 의해 발생하는 암잡음을 내포하고 있다. 두 번째로는 이것을 다크 영상으로 보정해 주면 된다. 다크 영상은 노출시간에 따라 값이 달라지기 때문에 천체 영상의 노출시간과 다크 영상의 노출시간을 감안하여 암잡음이 노출시간에 비례한다고 가정하고 환산된 암잡음을 천체 영상에서 **빼면** 된다. 예를 들어 천체 영상을 300초로 노출하고 다크 영상을 100초로 노출하였다면 다크 값의 3배를 **빼** 주면 된다. 이 과정을 위해 먼저 그날 촬영된 다크 영상을 합성하여 대표 다크 영상을 만든 뒤 플렛 영상과 천체 영상에서 노출시간을 감안하여 다크 값을 **뺀다**.

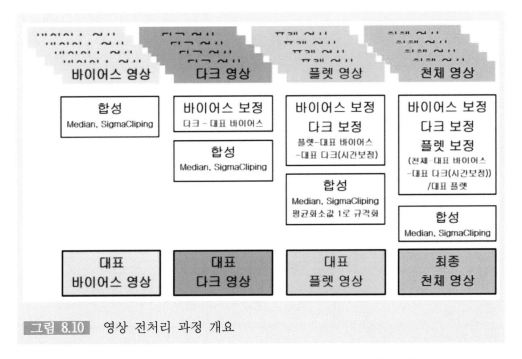

그림 8.10 영상 전처리 과정 개요

  마지막으로 플렛 영상을 이용해서 플렛 보정을 하면 된다. 플렛 영상은 화소 위치에 따라 반응하는 효율이 달라서 생기는 영상이다. 그래서 이 영상은 뺄셈이 아니라 나눗셈으로 보정해야 한다. 즉, 플렛 영상에서 플렛 영상을 나누면 된다. 플렛 영상에서 낮게 반응한 화소는 천체 영상에서도 낮게 반응하게 되므로, 천체 영상값을 플렛 영상 값으로 나눠주면 반응 효율에 차이를 보정할 수 있다. 그런데 플렛 영상의 화소값이 큰 값이면 천체 영상의 화소값이 전체적으로 작은 값으로 될 수 있기 때문에 대표 플렛 영상은 화소값의 평균이 1이 되도록 규격화하여 만들어진다. 이렇게 전처리가 된 여러 개의 천체 영상을 합성하면 최종적으로 하나의 합성된 영상이 된다. 그림 8.10에 전체적인 과정의 개요도를 그렸다.

전처리 과정은 수학적인 개념이라 처음 접하는 사람들에게는 다소 어렵게 느껴질 수도 있다. 그러나 실제 전처리부터 합성하는 과정은 딥스카이 스태커를 이용하면 쉽게 할 수 있다. 딥스카이 스태커의 웹사이트에 들어가면 최신 프로그램을 다운로드 받을 수 있다. 또한 사용자 매뉴얼도 매우 친절하게 제공하고 있다. 이 소프트웨어는 현재 많은 천체사진가들이 사용하고 있기 때문에 유튜브에 들어가서 검색하면 사용 방법을 알려 주는 친절한 유튜버들도 많이 있다. 컴퓨터에서 딥스카이 스태커를 시작 하고 나면 천체 영상, 암 영상, 플렛 영상, 바이어스 영상을 여는 메뉴(그림 8.11)를 이용하여 각각의 영상을 연다. 그리고 합성과 관련된 간단한 몇 가지 파라메타를 조정한 뒤 합성을 시작하는 메뉴를 클릭하고 기다리면 전처리와 영상합성의 전과정을 자동으로 진행해 준다. 이렇게 전처리와 합성이 끝난 영상을 저장하면 된다.

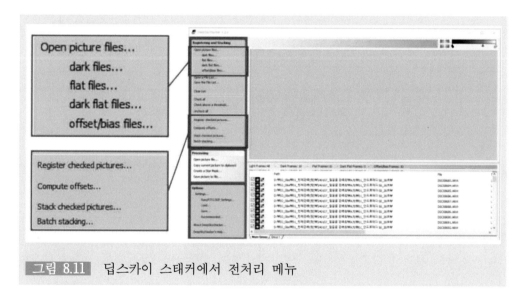

그림 8.11 딥스카이 스태커에서 전처리 메뉴

(3) 천체 영상의 후보정

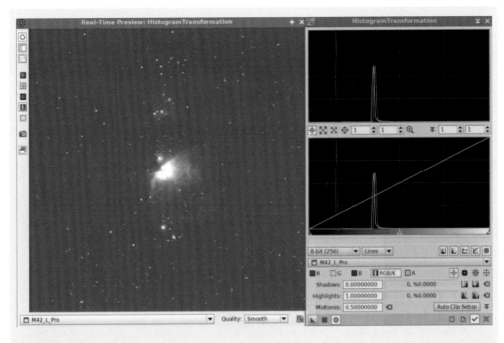

그림 8.12 오리온 대성운(M42)의 전처리와 합성 직후 영상(좌)과 이 영상의 R, G, B 값에 따른 픽슬 개수의 분포를 나타낸 히스토그램(우)

칼라로 촬영 후 전처리와 합성을 마치면 R, G, B 세 가지 색상이 합성된 칼라 천체 사진 영상을 얻을 수 있다. 이때 영상의 각화소마다 기록된 R, G, B의 수치는 이미지 센서의 반응 값에 비례하기 때문에 개별 색상에 대해서만 상대적으로 의미 있는 값으로 주어진다. 그림 8.12는 전처리와 합성을 마친 오리온 대성운(M42) 영상을 픽스인사이트[3]라는 플렛 영상 후보정 전용 소프트웨어로 확인한 것이다. 여기서 보면 영상이 전체적으로 청 녹색을 띄는 것을 알 수 있다. 그런데 우측 그래프에서 R, G, B 값에 따른 픽슬 개수의 분포를 보면 R 값의 분포가 G, B값의 분포에 비해 낮은 것을 알 수 있다. 칼라사진을 촬영하면 이와 같이 색상에 따라 다른 값의 분포를 가지는 것은 흔히 있는 일이다. 일반사진용 디지털 카메라는 카메라 내부에서 색상의 균형을 자동으로 맞춰주는 알고리즘이 작동하여 눈에 보이는 것과 흡사한 색상의 영상이 나타난 것이다. 천체사진의 경우 관측자가 직접 색의 균형을 잡아주면 좀 더 자유롭게

---

3) PixInsight (https://pixinsight.com/)

153

색상을 표현할 수 있다. 그림 8.13에서 R, G, B 분포를 비슷하게 조정하여 자연스러운 색상을 나타내었다.

그림 8.13 좌측은 그림 8.10의 영상을 R, G, B 분포를 비슷하게 조정한 영상. 우측은 R, G, B 조정후의 픽셀 개수의 분포를 나타낸 히스토그램

 그림 8.13에서 자연스러운 색상을 얻었지만 성운의 모습을 조금 더 세밀하게 보고 싶으면 그림 8.14에서 소개한 커브 보정의 과정을 거친다. 그림 8.14의 우측에는 적용한 커브가 있다. 앞에서 디지털영상은 화소값을 밝기로 표현한 것으로 설명하였다. 예를 들어 수치가 0에서 100까지인 경우 0을 검게, 100을 희게 표현 하는 식이다. 편의상 그림 8.14의 우측그래프의 가로축이 0에서 100까지라고 가정하자. 그러면 그래프에서 화소값들은 대부분 15~20사이에 분포하는 것을 확인할 수 있다. 그 이유는 배경하늘과 성운 위치의 화소값이 15~20사이에 많이 분포하기 때문이다. 이것을 0에서 100까지 선형적으로 밝기를 변하도록 적용하면 15~20사이의 자세한 구조를 확인하기 어렵다. 그래서 인위적으로 밝기의 변화를 15~20사이 구간에서 좀 더 가파르게 변하도록 조정하였다. 이 방법을 이용하면 그림 8.3에서 희게 나왔던 밝은 부분의 색상을 표현하면서도 어두운 성운이 잘 나오게 할 수 있다. 이렇게 새로 표현한 그림

8.14에서 성운 외곽의 구조를 좀 더 잘 확인할 수 있는 것을 알 수 있다. 그리고 화소값이 약 12가 되는 위치를 x축에 바짝 붙여 이 수치를 검은 색으로 표현하면 하늘이 적당히 어두워질 수 있다.

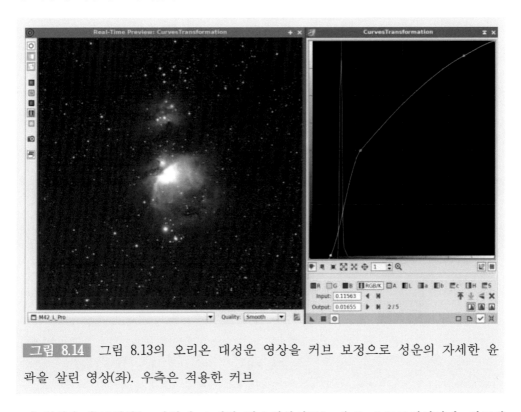

그림 8.14 그림 8.13의 오리온 대성운 영상을 커브 보정으로 성운의 자세한 윤곽을 살린 영상(좌). 우측은 적용한 커브

이 영상을 후보정하는 과정에 소개한 픽스인사이트는 유료 소프트웨어인데, 최근에 많은 천체사진가들이 사용하고 있다. 이 외에도 무료로 다운받아서 사용할 수있는 소프트웨어로는 씨릴[4] 등이 있다. 두 소프트웨어 모두 해당 웹사이트에 자세한 사용 설명과 사용 방법을 설명해 주는 유튜브 영상이 많으니 참고하면 된다. 천체사진 전문 소프트웨어가 아니라 포토샵과 같은 일반 이미지 보정 소프트웨어를 사용해도 많은 도움이 된다. 영상의 전처리 이후 후보정 과정의 작업은 천체사진은 과학의 영역이라기보다는 예술의 영역에 가깝다. 아름다운 천체사진을 만들기 위해서는 사진가 자신만의 예술적 감각이 필요하다.

---

4) SiriL (https://siril.org/)

저 자 소 개

    저자는 부산대학교 물리학과를 졸업하고, 서울대학교 천문학과에서 관측천문학으로 석사학위를 받았다. 이후 부산대학교 지구과학과에서 관측천문학으로 산개성단을 연구하는 천문학분야로 박사과정을 수료하고, 2002년 김해천문대 초대천문대장으로 부임하였다. 2005년에 동 대학에서 박사학위를 받은 후 2010년에 충북대학교 연구교수로 외계행성을 연구하였고, 2012년부터 현재까지 한국천문연구원 KVN울산전파천문대에 근무하고 있다. 울산에 근무하는 동안 부산과학고, 부산일과학고, 울산과학고, 한국과학영재학교에서 R&E 지도교수로 수 많은 과학영재들을 교육해 왔다. 그리고 한국아마추어천문학회 이사 겸 경남지부장로 활동하며 천문학의 대중화에 힘써 왔다. 현재 울산대학교 반도체학과에서 겸임교수로 학부 교양과목인 '천문학의 이해'를 강의하고 있다.

천체관측

발   행 | 2024년 03월 04일

저   자 | 이상현

펴낸이 | 한건희

펴낸곳 | 주식회사 부크크

출판등록 | 2014.07.15.(제2014-16호)

주   소 | 서울시 금천구 가산디지털1로 119, SK트윈타워 A동 305호

전   화 | 1670 - 8316

이메일 | info@bookk.co.kr

ISBN | 979-11-410-7471-5

www.bookk.co.kr